PROFIL 

Collection dirigée

POÉSIES

RIMBAUD

Analyse critique

par Patrick OLIVIER,
agrégé des lettres

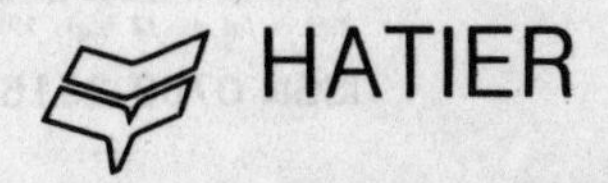

ISSN 0750-2516 ISBN 2-218-**01910**-8

Sommaire

Les références aux pages renvoient à l'édition de Rimbaud dans la collection Poésie (Gallimard).

Introduction

Rimbaud aujourd'hui

« Je sais aujourd'hui que le mythe de Rimbaud l'emporte sur le vrai Rimbaud. (...) Contre ceux comme Henry Miller ou Daniel-Rops, qui, lorsqu'ils bavardent sur Rimbaud, ne parlent que de soi, je n'ignore pas que j'aurai toujours tort. »

Étiemble[1]

Le fait qu'un critique qui s'est attaché aussi longuement à décrire la genèse du « mythe de Rimbaud » puisse ensuite rédiger avec autant de pessimisme les lignes ci-dessus incite à la modestie : comment démêler maintenant ce qui est réalité et cristallisation ?

Bien sûr, les biographies ont fréquemment tourné à l'hagiographie. Bien sûr, l'intérêt de la jeunesse actuelle pour un auteur comme Rimbaud ne relève pas exclusivement de la reconnaissance d'un talent littéraire — notion d'ailleurs si vague qu'elle ressemble à un fourre-tout de la critique ; l'attirance spontanée, immotivée, du plus grand nombre ne peut guère s'expliquer qu'en ayant recours à la conception quasi publicitaire de « l'image de marque ». Mais, bien évidemment, si H. Miller ou de plus jeunes contemporains peuvent projeter dans les textes de Rimbaud leurs propres obsessions, n'est-ce pas parce que ceux-ci les contiennent souvent, ne serait-ce qu'en germe ? Et il est au moins un aspect du mythe qu'il paraît difficile de rejeter : Rimbaud, poète adolescent et poète de la révolte adolescente. La première partie de cette affirmation repose sur l'évidence des dates : le recueil *Poésies*, qui comprend les textes les plus célèbres et les plus doctement commentés, est l'œuvre d'un garçon de 16-17 ans (voire de 15 ans pour le premier poème, *Les étrennes des orphelins*) ; et, en adoptant l'hypothèse extrême de Verlaine, le dernier texte connu, *Illuminations*, a été écrit par un jeune homme de moins de 21 ans. Le second

1. R. Étiemble, *Le mythe de Rimbaud : l'année du centenaire*, NRF, 1968 (avant-propos, p. 15).

point de l'affirmation (« poète de la révolte adolescente ») relève davantage de l'interprétation ; mais, sans aller jusqu'à qualifier Rimbaud de « Colomb de la jeunesse, qui élargit les limites de ce domaine encore mal exploré[1] », on peut relever des similitudes très concrètes entre la jeunesse des années 1970 et notre auteur, que E. Delahaye présente avec complaisance dans « ... Charleville qu'il va scandaliser en promenant par ses rues formalistes une chevelure romantique ayant poussé jusqu'à lui descendre au milieu du dos[2] ». Le rapprochement ne se borne évidemment pas à la coiffure, ni même à cet irrespect allègre et cette impertinence que Rimbaud érigeait en système ; nous aurons l'occasion de voir que bien de ses conceptions politiques, sociales ou plus simplement de ses aspirations, de ses attitudes sont encore d'actualité, cent ans plus tard. C'est pourquoi, très souvent, on a pu voir chez lui plus que la simple expression d'une jeunesse temporellement limitée, et l'on n'a pas hésité à attribuer à sa démarche une valeur universelle, à y voir une sorte de contribution à la psycho-sociologie ; ainsi nous pouvons relever dans une étude érudite cette affirmation caractéristique de l'attitude actuelle envers Rimbaud :

« Le désespoir du jeune homme « impétueux », assoiffé de pureté et d'absolu (Amour, Nature, Justice), n'est autre que *le mal de la jeunesse,* le découragement qui saisit l'adolescent devant les réalités de la vie, dont aucune ne répond à ses aspirations[3]. »

1. Henry Miller, *Le temps des assassins,* P.-J. Oswald, 1970, p. 149.
2. Ernest Delahaye, A. *Rimbaud,* Éd. Albert Messein, 1923.
3. M.-A. Ruff, *Rimbaud,* Hatier, Connaissance des lettres, 1968, p. 57.

Aspects biographiques 1

BIOGRAPHIE ET POÉTIQUE

Chez Rimbaud, la création poétique n'est jamais une activité marginale, une production « littéraire » aisément dissociable d'une situation sociale ; son œuvre doit au contraire se concevoir comme un progrès, un approfondissement tout à la fois humain et littéraire. Et lorsque nous retraçons les grands mouvements de la pensée en fonction de traumatismes historiques ou plus personnels, nous retrouvons l'évolution de sa poésie et même du rôle qu'il assigne à celle-ci. Ainsi, en un premier temps, Rimbaud s'écarte sans heurt trop brutal du conformisme familial, provincial : ses poèmes restent très imprégnés de ses lectures, et s'il chante le bouleversement social, c'est à 1792 qu'il fait allusion. La rupture violente est située indiscutablement en été 1870 avec d'une part la fin des études secondaires, et d'autre part la guerre et la chute de l'Empire ; le style des textes devient alors plus personnel, le ton violent jusqu'à la provocation. La poétique, jusque-là seulement en germe, va éclore avec la Commune qui donne d'abord l'espoir d'une société différente, où de plus le poète trouverait sa raison d'être, où il « définirait la quantité d'inconnu s'éveillant en son temps dans l'âme universelle », où « il serait vraiment un multiplicateur de progrès » (« lettre du Voyant » à Paul Demeny du 15 mai 1871. Poésie/Gallimard, p. 204). On imagine le décalage entre ces conceptions dynamiques et la situation née de l'échec de la Commune.

Après le flot de fureur et de violence que provoque chez Rimbaud le spectacle de la répression, après les tentatives d'application de la poétique nouvelle, il va lentement constater ses illusions, la stérilité de son projet (à cet égard, la progression du *Bateau ivre* est déjà bien révélatrice — et dans les 18 mois qui séparent ce texte de la *Saison en enfer* la création poétique s'est singulièrement appauvrie). Comme le souligne M.-A. Ruff, « l'effort de Rimbaud se tourne désormais vers la conquête de sa propre liberté, puisqu'il faut renoncer dans le présent à une libération collective. Les *Illuminations* correspondent à cette attitude nouvelle, elles en constituent l'illustration poétique[1] ». Mais rapidement il abandonne cette poésie qui a cessé d'avoir la fonction assignée dans la lettre citée plus haut (« l'art éternel aurait ses fonctions comme les poètes sont citoyens »), il renonce à cet art visionnaire désormais incommunicable, mais qui a flambé une dernière fois dans les *Illuminations,* où se mêlent encore sporadiquement le sentiment de l'échec et l'espoir enthousiaste. Pendant les seize ans qui lui restent à vivre, Rimbaud se tait et puisque sa révolte personnelle ne se concevait que liée à une vaste entreprise de rénovation sociale, il réintègre un univers bien mesquin — même si le décor africain lui permet de survivre et voile d'exotisme le poète devenu commerçant.

PRINCIPAUX POINTS DE REPÈRE

• *Une enfance sans chaleur*

Le 20 octobre 1854, à Charleville (« supérieurement idiote entre les petites villes de province », écrira-t-il plus tard), Arthur Rimbaud naît dans une famille relativement aisée ; la mère, Vitalie Cuif, est issue d'une famille de cultivateurs et le père, officier de carrière, n'apparaît à la maison qu'au hasard des permissions. Peu d'influence, semble-t-il, de ce dernier ; son fils ne parle jamais de lui, fût-ce par allusion, et selon l'un des biographes, Delahaye, le seul souvenir qu'il en eût conservé était celui de son comportement au cours d'une

1. M.-A. Ruff, *Rimbaud,* p. 244.

querelle conjugale. Sur la mère, au contraire, beaucoup d'éléments : on a longuement décrit son orgueil, sa sécheresse, voire sa dureté ; et la lutte permanente avec cette femme (« aussi inflexible que soixante-treize administrations à casquettes de plomb »), dont en plus il possède bien des traits, n'a pas peu contribué à développer une nature déjà rebelle et difficile à juguler. Toutefois, une étude des lettres que Rimbaud a envoyées aux siens détruit l'image que l'on s'était faite un peu rapidement du « voyou », du « mauvais fils » : si les expressions de tendresse y sont rares, on retrouve tous les signes d'un réel intérêt, d'un attachement bourru.

• *Le bon élève et le maître compréhensif*

Tous les témoignages concordent pour nous présenter Rimbaud comme un enfant appliqué, et l'examen de sa carrière scolaire nous montre un écolier en constants progrès (enseignement religieux compris). Le jeune professeur de 22 ans, Georges Izambard, lorsqu'il arrive au collège de Charleville au début de 1870, peut rencontrer un garçon encore « un peu guindé, sage et douceâtre, aux ongles propres, aux cahiers sans tache, aux devoirs étonnamment corrects, aux notes de classe idéalement scolaires[1] ». On sait l'importance de ce maître qui, par une initiation à la poésie contemporaine et surtout par la confiance qu'il lui témoigne, va hâter la maturation du cœur et du talent. Ainsi le « premier de la classe » va briguer la réussite littéraire et tenter sans succès de se faire admettre parmi les Parnassiens — même si déjà quelques sarcasmes laissent présager du futur.

• *Le choc de la guerre*

Le 19 juillet 1870, le gouvernement français a déclaré la guerre à la Prusse. Le jeune Rimbaud reste indifférent au mouvement de nationalisme (le « patrouillotisme », écrit-il) et se révolte au contraire devant la sauvagerie de ses compatriotes, sans que sa foi en l'avenir de l'humanité semble ébranlée ; la nécessité

1. *Rimbaud tel que je l'ai connu,* Mercure de France, 1956, p. 54.

d'une révolution qui transfigure la société s'affirme même en lui à mesure que se disloque l'ordre établi, que sont annoncés les premiers désastres de l'Empire. En même temps, la route commence à l'attirer et ce sont les premières fugues : 29 août, vers Paris où il sera arrêté gare du Nord ; 7 octobre, à pied, vers Charleroi, Bruxelles, Douai : la gendarmerie le ramènera chez sa mère ; le 25 février 1871, il gagne Paris par le train, y erre une quinzaine de jours et revient à travers les lignes ennemies.

• *Le choc de la Commune*

Le 18 mars 1871, Rimbaud apprend avec enthousiasme l'établissement de la Commune à Paris ; « l'Ordre est vaincu ! » affirme-t-il à Charleville. A-t-il assisté, comme sa légende l'a longtemps voulu, aux derniers combats de la Commune, à la fin de mai ? Le problème reste encore en suspens, mais la position politique de Rimbaud au moins est claire : celui qui au printemps 1871 aurait écrit un projet de « Constitution » socialiste[1] et qui a lu les socialistes (Proudhon, Louis Blanc) se range aux côtés des « Communards » ; il lui semble que les forces plus authentiques des travailleurs viennent de reprendre le dessus et que, bien au-delà de structures politiques nouvelles, pourra s'instaurer une société qui aura redonné leur place aux instincts, qui aura restauré l'amour universel.

• *Le Voyant*

En liaison directe avec cet ébranlement social, une nouvelle méthode et un nouvel objectif poétiques sont clairement formulés à la mi-mai 1871 — dans les deux lettres capitales, dites du « Voyant » : à Georges Izambard du 13 mai ; à Paul Demeny du 15 mai (pp. 199 à 206).

Dans la première, il est évident que Rimbaud a épousé la haine populaire de la société bourgeoise et des valeurs

1. E. Delahaye, *A. Rimbaud*, p. 38.

établies ; tandis que son professeur « roule dans la bonne ornière », il « [s']encrapule le plus possible ». Toutefois ses sympathies ouvrières ne l'empêchent pas de sortir du rang : il sera, lui, le « voleur de feu », car il s'agit de placer la poésie « en avant » de l'action. Le nouvel objectif est la voyance et la nouvelle méthode, justifiée par la nécessité de cultiver ses facultés jusqu'en leurs aspects monstrueux, sera le « long, immense et raisonné dérèglement de tous les sens » — en une « Ineffable torture où il [le Poète] a besoin de toute la foi, de toute la force surhumaine, où il devient entre tous le grand malade, le grand criminel, le grand maudit — et le suprême Savant ! ». Dans cette marche au progrès, les poètes se chargent de la recherche de l'inconnu, devenant au sein de cette société nouvelle les « horribles travailleurs ». Rimbaud racontera plus tard dans *Alchimie du Verbe* ses étranges expériences qui se poursuivent, semble-t-il, même lorsque l'échec de la Commune leur a enlevé leur justification sociale :

« Aucun des sophismes de la folie — la folie qu'on enferme — n'a été oublié par moi : je pourrais les redire tous, je tiens le système.

Ma santé fut menacée. La terreur venait. Je tombais dans des sommeils de plusieurs jours, et, levé, je continuais les rêves les plus tristes. J'étais mûr pour le trépas (...) » (p. 145).

• *Rimbaud et Verlaine*

Rimbaud, mis en contact avec le poète parisien, reçoit à la mi-septembre (avec un mandat pour les frais de voyage) la célèbre lettre : « Venez, chère grande âme, on vous appelle, on vous attend. » La « chère grande âme » va susciter dans les milieux parisiens des réactions mêlées, comme en témoignent ces lignes de Valade[1] :

« Grandes mains, grands pieds, figure absolument *enfantine* et qui pourrait convenir à un enfant de treize ans, yeux bleus profonds, caractère plus sauvage que timide, tel est le môme dont l'imagination, pleine de puissance et de corruptions inouïes, a fasciné ou terrifié tous nos amis. » Il n'est pas utile

1. Cité par M.-A. Ruff, *Rimbaud,* p. 110.

d'insister sur les rapports exacts de Rimbaud et de Verlaine ; notons simplement que les biographes les plus préoccupés de la bonne moralité de leur auteur ne poussent pas leur défense au-delà de l'affirmation selon laquelle l'homosexualité est « plausible, mais non évidente ». Rimbaud, qui en 1872 et 1873 ressent à nouveau l'appel de la route, a cette fois un compagnon de voyage : la Belgique en juillet 1872 ; Londres au début de 1873, puis en mai. Le 10 juillet 1873, à Bruxelles, au cours d'une dispute, Verlaine blesse très légèrement Rimbaud d'un coup de feu et se retrouve en prison pour n'en sortir qu'en janvier 1875.

• *La mort littéraire et les dernières évasions*

Pendant l'emprisonnement de son compagnon, Rimbaud, qui n'a alors qu'une vingtaine d'années, achève en 1874 *Une saison en enfer,* cet « examen, entrepris dans le désarroi, mais mené à son terme avec obstination et vigueur de toutes les entreprises métaphysiques qu'il a tentées[1] », et rédige les *Illuminations ;* ce dernier texte a suscité des controverses de dates qui ne sont pas sans intérêt : s'il a été composé avant la *Saison,* on peut y voir l'exercice suprême du Voyant avant le constat d'échec ; sinon (comme cela semble maintenant bien plus plausible), il s'agit de l'ultime et superbe rejaillissement du souffle créateur.

A partir de 1875, date de la mort littéraire de Rimbaud, les pérégrinations se multiplient : Stuttgart, puis l'Italie ; l'année suivante, Batavia (à la suite d'un engagement dans l'armée hollandaise — engagement vite suivi de désertion) ; en 1878-79-80, séjours à Chypre. C'est à la fin de 1880 que l'horizon africain va s'ouvrir à lui : ayant trouvé en Égypte un emploi dans une maison qui fait le commerce des peaux et du café, il est chargé d'ouvrir une succursale au Harrar (à « 20 jours de cheval dans le désert Somali »). Pendant 10 ans, il parcourt l'Afrique et tâte notamment du commerce des armes ; nous voyons alors naître un étonnant Rimbaud qui d'une part souffre du vide intellectuel, mais d'autre part manifeste un sens du commerce étonnant chez l'ancien

1. Y. Bonnefoy, *Rimbaud par lui-même,* Le Seuil, 1969, p. 107.

Voyant (« je vous renvoie ci-joint duplicata facture casseroles[1] »).

En juin 1891, atteint d'une tumeur cancéreuse au genou droit, il doit revenir à Marseille où on l'ampute, prolongeant son existence de quelques mois seulement : il meurt le 10 novembre à l'hôpital de la Conception, après de longues souffrances et complètement paralysé, mais émettant une dernière fois le vœu de partir : « Dites-moi à quelle heure je dois être transporté à bord », dicte-t-il le 9 novembre à l'intention du directeur des Messageries maritimes.

1. *Correspondance (1888-1891),* NRF, 1965, p. 123.

TABLEAU CHRONOLOGIQUE

Vie et œuvre	Événements contemporains
	1851 (2 déc.) Coup d'État de L.-N. Bonaparte.
	1853 Hugo : *Les châtiments.* Nerval : *Sylvie, Aurélia, les Chimères.*
1854 (20 oct.) Naissance de Rimbaud à Charleville dans les Ardennes.	
	1856 Hugo : *Les contemplations.*
	1857 Baudelaire : *Les fleurs du mal.* Flaubert : *Madame Bovary.* Banville : *Odes funambulesques.*
1862 (oct.) Entrée comme externe à l'institution Rossat.	1862 Baudelaire publie dans la « Presse » 20 petits Poèmes en prose.
	1864 Reconnaissance du droit de grève en France.
1865 (oct.) Entrée au collège de Charleville.	
	1866 Le Parnasse contemporain. Verlaine : *Poèmes saturniens.*
1869 Succès scolaires pour ses vers latins. Composition des *Étrennes des orphelins.*	1869 Succès républicains aux législatives. Lautréamont : *Les chants de Maldoror.* Verlaine : *Les fêtes galantes.* Sully Prudhomme : *Les solitaires.*
1870 Élève de rhétorique avec pour professeur Georges Izambard. (24 mai) Lettre à Banville dans l'espoir d'une publication au *2e Parnasse contemporain :* envoi de *Sensation, Ophélie, Credo in unam (Soleil et chair).* (29 août) Première fugue. (7 oct.) Deuxième fugue : composition en chemin de *La maline, Au cabaret-vert, Ma bohème...*	1870 (19 juil.) Guerre avec la Prusse. (4 sept.) Capitulation de Sedan : déchéance de l'Empire et proclamation de la IIIe République. (31 déc.) Bombardement, incendie de Mézières (près de Charleville).

1871	(25 fév.) Troisième fugue. (13 et 15 mai) Lettres du Voyant. (fin sept.) A Paris, auprès de Verlaine, avec dans ses cartons *Le bateau ivre.* Fréquentation du Cercle zutique et usage probable du haschisch.	Deuxième Parnasse contemporain. (mars) La Commune de Paris. (21-28 mai) La « semaine sanglante » de répression.
1872	(fév.) Retour dans les Ardennes pour laisser Verlaine se réconcilier avec sa femme. (mai-juin) A Paris. (juil.) Départ avec Verlaine pour la Belgique, puis pour Londres (en sept.). (déc.) Retour à Charleville.	Monet : *Impression, Soleil levant.* Agitation monarchiste. A Anzin, grève des mineurs.
1873	(janv.) A nouveau à Londres jusqu'en avril. (avr.) A Roche, il commence *Une saison en enfer.* (27 mai) Départ avec Verlaine pour Londres. (10 juil.) Querelle à Bruxelles : Rimbaud est légèrement blessé et Verlaine est condamné à deux ans de prison. Retour de Rimbaud à Roche où il achève *Une saison en enfer.*	Démission de Thiers. Gouvernement de « l'Ordre moral ».
1874	Rimbaud à Londres (en compagnie de Germain Nouveau) où il écrit sans doute la plus grande partie des *Illuminations.*	Première exposition impressionniste. Verlaine : parution de *Romances sans paroles.*
1875	(fév.) A Stuttgart comme précepteur. (mars) Visite de Verlaine. (mai) Séjour à Milan. (hiver) Étude des langues.	
1876	Engagement dans l'armée hollandaise, après un voyage à Vienne. Désertion après son arrivée à Batavia.	Troisième Parnasse contemporain.
1877	à 1880 Divers voyages et séjours, notamment à Chypre.	
1880	(août) A Aden : chargé par la Maison Viannay, Mazeran, Bardey et Cie d'ouvrir une succursale. (13 déc.) Arrivée à Harrar.	

1880-1890 Affaires et voyages au Harrar.

1880 Zola : *Les soirées de Médan, Le roman expérimental.*

1881 Verlaine : *Sagesse.*

1886 Publication des *Illuminations* (sans doute ignorée de Rimbaud).

1887 Agitation boulangiste.

1889 Tour Eiffel.

1891 (mai) Retour d'Afrique et amputation de la jambe droite à l'hôpital de Marseille.
(août) Dernier séjour en Ardenne.
(10 nov.) Mort à l'hôpital de Marseille.

1891 Gide : *Cahiers d'André Walter.*

Description de « Poésies » 2

Les 44 poèmes qui composent le recueil restent d'une chronologie incertaine. En effet Rimbaud n'est le plus souvent pour rien dans la publication de ses vers, parus en général après son départ en Afrique ou après sa mort ; et ces textes de tradition manuscrite parfois ne sont pas datés, parfois portent la date non de la création, mais de la copie. Cela vaut également pour les 22 poèmes du « recueil Demeny » (recopiés par Rimbaud lui-même sur deux cahiers, à Douai, en octobre 1870 et offerts au poète Paul Demeny, ami de Georges Izambard), qui ont au moins le mérite d'offrir un texte sûr. Les critiques se sont donc efforcés de rétablir cette chronologie ; il n'est pas possible ici d'entrer dans le détail de ce travail, mais nous pouvons du moins retenir un essai d'organisation générale dans le temps. Ainsi M.-A. Ruff, en se fondant sur la coupure de mai 1871, scinde le recueil en deux :

- Tout d'abord, il distingue ce qu'il appelle « Premières poésies ou Poésies de jeunesse », comprenant les 22 pièces du « recueil Demeny », plus 7 *(Les étrennes des orphelins, Les corbeaux, Tête de faune, Les douaniers, Oraison du soir, Les sœurs de charité, L'orgie parisienne).*
- Enfin, les 15 poèmes postérieurs aux « Lettres du Voyant » sont par-là même différents de ton et de style.

Toutefois, en dépit de cette rupture, on est frappé par la persistance dans l'ensemble du recueil d'un certain nombre de sujets et l'on pourrait — tout en restant conscient de l'aspect schématique et fatalement arbitraire de cette première approche — regrouper les 44 poèmes sous quelques rubriques qui peuvent donner un aperçu des différents centres d'intérêt.

LES RAPPORTS AVEC LA FEMME

Il est indiscutable que, sous des formes très diverses, presque le quart des pièces du recueil se ramène à ce personnage pourtant peu fréquent dans les biographies de notre auteur (la mère et les sœurs exceptées) où l'on nous parle tout au plus de vagues déceptions et d'une mystérieuse « jeune fille aux yeux de violette » qui l'aurait suivi à Paris en février 1871.

De toute façon, les poèmes « chantant » la femme au sens traditionnel ne sont pas les plus nombreux : *L'étoile a pleuré rose* (p. 79) nous offre un blason du corps féminin, surtout en forme d'exercice de style (le jeu consistant à placer un adjectif de couleur à chaque césure) ; *Rêvé pour l'hiver* (p. 52) ou *Première soirée* (p. 42) présentent un certain bien-être trouvé dans la compagnie féminine — même si le second contient l'expression peu enthousiaste de « tête mièvre ». Quant à la « demoiselle aux petits airs charmants » de *Roman* (p. 50), elle est bien vite oubliée et l'amoureux se trouve niais de céder si facilement aux effluves printaniers.

Mais au moins dans ces quatre textes, si la femme n'était pas exactement glorifiée, elle était toutefois ménagée ; il n'en va pas de même avec *Vénus anadyomène* (p. 41) quelque peu « défigurée », avec *Les reparties de Nina* qui écarte d'un prosaïque « Et mon bureau ? » les propositions lyriques du poète (p. 43) et surtout avec *Mes petites amoureuses* (p. 63) où culminent le mépris et la haine : « J'ai dégueulé ta bandoline [brillantine], Noir laideron. » *Les sœurs de charité* (p. 77), enfin, oppose le jeune homme au « beau corps de vingt ans qui devrait aller nu » à la Femme, « monceau d'entrailles », « porteuse de mamelles » ; et si l'on croit un instant à sa beauté (« seins splendidement formés »), ce n'est que par une illusion vite dissipée.

Par ailleurs, deux poèmes relèvent plus particulièrement du problème des rapports avec la mère : *Les étrennes des orphelins* (p. 19) traduit très évidemment cette frustration affective dont nous verrons plus loin d'autres manifestations (« Quand donc reviendra notre mère ? ») et qui trouve en écho à la fin du recueil une sorte de compensation dans *Les chercheuses de poux* (p. 93) où deux femmes accordent tous leurs soins à un enfant.

PORTRAITS SOCIAUX ET POLITIQUES

On n'a pas toujours suffisamment insisté sur cet aspect de Rimbaud qui présente pourtant, un peu comme Daumier, une galerie assez complète des personnages de son époque : nous voyons successivement les pauvres (« heureux, humiliés comme des chiens battus ») et des dames distinguées aux « sourires verts » et aux « doigts jaunes » (*Les pauvres à l'église,* p. 73), les « bourgeois poussifs », les « rentiers à lorgnons » et les militaires « très naïfs » (*A la musique,* p. 39) ; le bibliothécaire, devenu symbole des bureaucrates, des « hommes-chaises » (comme dans les visions de Jérôme Bosch), « genoux aux dents, verts pianistes » (*Les assis,* p. 58). En dehors de ces portraits au vitriol, Rimbaud esquisse d'autres traits plus affectueux dans des textes où l'engagement politique l'emporte déjà sur la caricature. Ainsi *Les effarés* (p. 47) évoque la misère des enfants qui contemplent le pain destiné au superflu des riches ; et les ouvriers apparaissent en héros quasi épiques (dans *Le forgeron,* p. 33 :
« Le bras sur un marteau gigantesque, effrayant / D'ivresse et de grandeur, le front vaste, riant / Comme un clairon d'airain, avec toute sa bouche... » ou encore dans *Les mains de Jeanne-Marie,* p. 74).

Quant aux représentants de l'ordre établi, ils sont assez dignement représentés dans le recueil par *les douaniers* (p. 61 : « Pas de ça, les anciens ! Déposez les ballots ! »), par le prêtre d'*Accroupissements* (p. 66 :
« Le cerveau du bonhomme est bourré de chiffons.
Il écoute les poils pousser dans sa peau moite ... »),
enfin par les dirigeants (*Rages de Césars,* p. 51, qui vise Napoléon III en particulier et les tyrans en général, ou encore *L'éclatante victoire de Sarrebrück,* p. 55, avec l'Empereur « raide, sur son dada »). Un dernier poème est à ranger sous cette rubrique : *L'orgie parisienne ou Paris se repeuple* (p. 69) qui s'attaque à une classe sociale évoquée dans son ensemble, mais avec une telle imprécision que l'on a tout d'abord cru qu'il s'agissait des conservateurs revenus à Paris après la défaite de la Commune, alors que Rimbaud vise plus certainement ceux qui se réjouirent de la fin de la guerre de 70

et reprirent leurs fêtes luxueuses dans une atmosphère impériale renaissante :

« Société, tout est rétabli : — les orgies
Pleurent leur ancien râle aux anciens lupanars. »

CONDAMNATIONS MORALES ET RELIGIEUSES

Souvent proches par leurs thèmes des poèmes que nous venons d'évoquer, un certain nombre de textes s'en distinguent cependant par le mode d'approche : l'objet n'y est plus à proprement parler le portrait ; mais au-delà de l'éventuelle présence d'un personnage, il s'agit davantage d'atteindre à une réflexion plus générale — réflexion qui pour l'esprit négatif de Rimbaud équivaut généralement à une condamnation.

Ainsi, dans *les premières communions* (p. 87), l'intérêt se décale manifestement de l'évocation de cette « petite fille inconnue, aux yeux tristes » à la dénonciation des méfaits de la religion chrétienne qui transforme l'élan d'amour en pseudo-amour mystique et qui, de façon générale, est ressentie comme une déviation des instincts :

« Christ ! O Christ, éternel voleur des énergies... » (p. 93).

De même, *Le Juste restait droit...* (p. 79) oppose principalement la révolte de Rimbaud à toutes les lâchetés morales et surtout religieuses :

« Socrates et Jésus, Saints et Justes, dégoût !
Respectez le Maudit suprême aux nuits sanglantes ! »

Et le poème *Le Mal* (p. 51) — dont le titre déjà marque bien les intentions morales — reprend le thème de la religion malfaisante (ou pour le moins du Dieu des chrétiens indifférent au mal) opposée à la sainte nature ; ce texte pourrait également être rattaché à ce que l'on pourrait appeler au sein de cette rubrique le « cycle de la guerre ».

Rimbaud — nous l'avons vu — a connu la proximité immédiate de cette dernière et quatre autres poèmes, inégalement connus, en posent plus ou moins directement les problèmes moraux : *Morts de Quatre-vingt-douze* ... (p. 41) dont « Le sang lavait toute grandeur salie », mais qui ne sauraient à nouveau justifier la guerre ; *Le dormeur du val* (p. 53) qui décrit la mort « déplacée » d'un homme jeune au sein d'une nature accueillante ; le *Chant de guerre parisien* (p. 62), pamphlet contre les Versaillais qui bombardent la région parisienne ; et enfin *Les corbeaux* (p. 57) qui tournoient « Par milliers, sur les champs de France, / Où dorment des morts d'avant-hier ».

AUTOBIOGRAPHIES

C'est une évidence que de rappeler que Rimbaud en dépit de ses premières tentations parnassiennes est toujours fortement présent dans son œuvre. Toutefois, dans les *Poésies*, quatre textes le mettent directement en scène : trois sont écrits à la première personne ; quant au « il » du quatrième, il ne cherche pas à tromper et ne sert guère qu'à assurer un certain détachement propre à un ton plus analytique. Il n'est pas utile d'insister sur *Le bateau ivre* (p. 94) dont on sait qu'il est le symbole de l'errance du poète, l'image de sa destinée : la libération, les luttes solitaires du Voyant et les premières déceptions.

Oraison du soir (p. 61) correspond à la période de « scandale », de défi à l'ordre, tandis que *Le cœur du pitre* (p. 72) traduit ce sentiment de s'être sali au contact du monde. Enfin, il n'est pas inintéressant de signaler *Les poètes de sept ans* (p. 66) non seulement parce qu'il annonce *Le bateau ivre*, par les images et le vocabulaire de la dernière strophe, mais encore parce que l'auteur y regroupe tout à fait lucidement les thèmes majeurs de son œuvre : rêve de liberté, sensualité mal assumée et transférée à la nature, haine de Dieu, amour des ouvriers ...

ÉVOCATIONS DE LIEUX

Ces poèmes appartiennent tous à l'ensemble que M.-A. Ruff dénomme « Poésies de jeunesse » (cf. supra) et ne sont effectivement pas sans avoir subi l'influence parnassienne — même si le tempérament rimbaldien s'y manifeste déjà et si leur intérêt se trouve largement au-delà de la simple poésie descriptive. Puisque nous nous bornons pour le moment à une classification toute extérieure des poèmes en fonction de leurs sujets, relevons tout d'abord des tableaux naturels : *Sensation* (p. 23) ou le plus célèbre, *Ma bohème* (p. 56), qui chantent bien entendu les plaisirs de la marche en harmonie avec la nature. *Soleil et chair* (p. 23) évoque assez conventionnellement celle-ci sous sa forme païenne, alors que dans *Tête de faune* (p. 60), Rimbaud aura recours à une technique impressionniste plus originale.

En contrepoint, nous rencontrons trois poèmes consacrés à des « intérieurs » : deux scènes de cabaret (*Au cabaret-vert,* p. 53, et *La maline,* p. 54) et une « description de meuble » (*Le buffet,* p. 56) qu'à la première lecture on peut trouver assez surprenante, voire puérile (« O buffet du vieux temps, tu sais bien des histoires »...), mais dont la portée devra en fait être cherchée au-delà de la scène de genre.

ASPECTS LITTÉRAIRES

Il convient enfin de signaler quelques poèmes qu'il serait artificiel de vouloir classer ailleurs car leur sujet reste spécifiquement « littéraire ».

- Soit qu'il s'agisse de textes proches d'un « art poétique » (*Ce qu'on dit au poète à propos de fleurs,* p. 81, adressé à Banville et traitant de l'objet de la poésie, ou encore *Voyelles,* p. 78, qui, au moins dans son origine, procède à une dissection du langage poétique).
- Soit que le personnage provienne directement d'une autre œuvre (*Ophélie,* p. 29, ou *Le châtiment de Tartufe,* p. 32).
- Soit enfin que le choix du sujet et le ton constituent une trop évidente « reconstitution » : *Le bal des pendus,* p. 31, n'a pas moins de trois parrains, Gautier, Banville et Villon.

L'univers de « Poésies » 3

Où vivre ? Les fugues de Rimbaud montrent bien l'importance de la question. Celui que Verlaine a heureusement baptisé « l'homme aux semelles de vent » va, son existence durant, en un perpétuel départ, rechercher un cadre où il soit enfin possible d'être soi-même : l'Afrique le tiendra dix ans éloigné de son pays natal, sans que pour autant il cesse de « nomadiser ».

Les *Poésies* de Rimbaud — comme d'ailleurs *Les fleurs du mal* de son aîné et maître Baudelaire — montrent bien que la Province, Paris, la Nature, ou l'illusoire et consolant « Ailleurs » sont plus qu'un décor, qu'un prétexte à descriptions littéraires. L'endroit où l'on se trouve ou bien auquel on rêve souille le poète — ou le purifie, lui redonne vigueur.

LA PROVINCE NATALE

Charleville tant méprisée aura au moins le mérite de permettre à Rimbaud de se définir face à la laideur, la sottise et la convention, de se poser en contestataire, d'éprouver la supériorité de ses propres aspirations. Cette prise de conscience d'une spécificité ne se fait pourtant pas dans l'éloignement et la froideur : la province saura lui faire sentir son poids, provoquant dégoût et colère, car on ne s'y débarrasse pas aisément de la glu du temps si lent et des principes si étouffants.

Pour avoir une idée du type de laideur de « l'atroce Charlestown », comme Rimbaud la rebaptise par dérision, il suffit d'évoquer ces vers qui décrivent la place de la gare :

« Sur la place taillée en mesquines pelouses,
Square où tout est correct, les arbres et les fleurs... » (*A la musique*, p. 39).

Et c'est certainement la promenade à proximité de cette même gare (le lieu d'évasion qui semble par contraste faire sentir plus durement l'emprisonnement) qui est évoquée dans *Roman,* avec ses « tilleuls verts » tout juste bons à impressionner un adolescent tracassé par le printemps — mais qui dans une vision plus réaliste n'offrent comme échappée qu'un « tout petit chiffon / D'azur sombre, encadré d'une petite branche, / Piqué d'une mauvaise étoile ... » (p. 49). Sa sœur, Vitalie, qui n'échappera pas à cette province, aura tout le temps de compter les arbres : « Cent onze marronniers sous les allées, soixante-trois autour de la promenade de la gare[1]. »

Dans cet univers taillé au cordeau de la mesquinerie s'exerce la « bêtise jalouse » des « bourgeois poussifs » (p. 39), se développent les discussions de café du Commerce (« des clubs d'épiciers retraités ... fort sérieusement discutent les traités », p. 40), s'épanouissent les rondeurs satisfaites :

« Les gros bureaux bouffis traînent leurs grosses dames » (p. 40).

Cependant, ceux qui n'ont pas encore été tout à fait abrutis par cette vie, les jeunes gens, ressentent l'appel fondamental de l'amour et échangent — mais à distance — leurs désirs : ainsi ces filles « contentes de s'entendre appeler garces par les garçons » (p. 88) ou encore le jeune Rimbaud lui-même déshabillant du regard des jeunes filles troublées :

« Je suis, sous le corsage et les frêles atours,
Le dos divin après la courbe des épaules ... » (p. 40).

PARIS

On comprend que, vue de cette province frustrante, la capitale ait pu sembler attirante au jeune homme et ait pu être un but de fugues — même si plus tard, apparemment revenu de ses illusions, il date une lettre non de « Paris », mais de « Parmerde... Toutefois l'inspiration urbaine n'est pas encore très importante dans les *Poésies* et l'on sait que « la ville, avec sa fumée et ses bruits de métiers » (*Ouvriers,* p. 170) est davantage évoquée par les *Illuminations ;* en fait, le

1. Cité par Y. Bonnefoy, *Rimbaud par lui-même,* p. 7.

Paris que conçoit Rimbaud à cette époque est surtout un Paris historique et politique. Ainsi *Le forgeron* décrit « les murs lépreux » de la Bastille comme symbole traditionnel de la tyrannie (p. 35). Après la découverte de la ville, les allusions se font plus contemporaines, mais restent politiques : le Paris révolutionnaire devient alors le Paris de la liberté opprimée. Que l'on songe au *Chant de guerre parisien :*

« Sèvres, Meudon, Bagneux, Asnières,
Écoutez donc les bienvenus
Semer les choses printanières [les bombes] ! » (p. 62),

ou encore à *L'orgie parisienne* où Rimbaud utilise successivement les expressions « Cité sainte » et « la putain Paris », mais où surtout il affirme sa foi en un nouveau sursaut libérateur :

« O cité douloureuse, ô cité quasi morte,
La tête et les deux seins jetés vers l'Avenir » (p. 70).

LA NATURE

La Nature, et non la campagne. En effet, cette dernière, spécifiquement sous sa forme ardennaise, n'est guère plus appréciée de l'auteur que Charleville — la Correspondance le prouve. Si la nature est autant évoquée dans les poèmes, elle l'est rarement de façon réaliste : on ne peut à cet égard prendre au sérieux un vers comme « Une vache fientera, fière... » (p. 46), l'alliance de mots et l'allitération trop « littéraire » pour les circonstances y traduisant trop nettement la volonté de dérision. Il ne s'agit même pas d'une campagne « choisie », donc traditionnellement enjolivée ; il s'agirait plutôt d'une nature reconstruire intellectuellement d'où l'auteur, après y avoir projeté ses propres désirs, pourrait retirer un artificiel réconfort, une réactivation de ces mêmes désirs. Un autre poète, René Char, a été sensible à ces interactions caractéristiques : « Nature non statique, peu appréciée pour sa beauté convenue ou ses productions, mais associée au courant du poème où elle intervient avec fréquence comme matière, fond lumineux, force créatrice, support de démarches inspirées ou pessimistes, grâce » (Préface, p. 11).

C'est ainsi que la Nature, comme lieu de passage, devient détentrice de liberté et régénératrice, parce que le poète y exerce son errance :

« ... Ces bons soirs de septembre où je sentais des gouttes
De rosée à mon front, comme un vin de vigueur » (*Ma bohème,* p. 57).

Et, à plusieurs reprises, le terme « aller » est associé aux paysages, comme par une sorte d'évidence pour Rimbaud :

« Par les soirs bleus d'été, *j'irai* dans les sentiers (...)
Et *j'irai* loin, bien loin, comme un bohémien,
Par la nature ... » (*Sensation,* p. 23),

« ... *nous irions*
Ayant de l'air plein la narine,
Aux frais rayons ... » (*Les reparties de Nina,* p. 43),

« *J'allais* sous le ciel ... » (*Ma bohème,* p. 56).

Notons d'ailleurs qu'en l'espace de quelques mois, nous sommes passés pour le verbe en question de l'action envisagée à l'acte soumis à condition et enfin à l'évocation d'un passé : est-ce un hasard ou la nature est-elle de moins en moins parée aux yeux de Rimbaud de cette fonction libératrice qu'il lui avait assignée ?

De même, l'assimilation constante entre la Nature et l'Amour ne peut se justifier uniquement (comme on s'est plu à le faire notamment pour *Soleil et chair,* p. 23) par les réminiscences littéraires, par des souvenirs de panthéisme et de sensualité païenne. Le retour et le caractère de certaines assimilations invitent à voir ici un peu plus qu'une rencontre avec la tradition antique.

Citons par exemple :

« La terre, demi-nue, heureuse de revivre,
A des frissons de joie aux baisers du soleil ... »
(*Les étrennes des orphelins,* p. 22),

« Le Soleil, le foyer de tendresse et de vie,
Verse l'amour brûlant à la terre ravie... »
(*Soleil et chair,* p. 23),

ou encore « la prairie amoureuse » (*Les poètes de sept ans,* p. 68), voire « la campagne en rut » (*Les premières communions,* p. 88). Par ce transfert, Rimbaud trouve-t-il inconsciemment un moyen d'échapper à l'oppression sociale sur la sensualité et de justifier celle-ci en lui redonnant son caractère

« naturel », à tous les sens du mot ? Alors la Nature correspondrait principalement à une sorte de négatif photographique de l'univers social : elle deviendrait Amour et Liberté, au moment où le jeune Rimbaud éprouve les premières difficultés à rencontrer ceux-ci parmi les hommes.

AILLEURS

En un certain sens, une telle façon de reconstruire le cadre naturel correspondait déjà à la recherche d'un « ailleurs ». La démarche est encore plus évidente lorsque Rimbaud abandonne délibérément nos paysages pour créer à coup de formes, de couleurs et d'images heurtées un nouvel univers. On a pu voir dans cette reconstruction architecturale la démarche (et l'échec) caractéristique du poète : « Par l'explosion, l'envol, le jet, la métamorphose, le laconisme, la révolte, il tente d'édifier un monde sans en-dessous, un univers délivré de l'origine et de la nostalgie », écrit J.-P. Richard[1].

Les *Illuminations* pousseront plus loin cette édification à partir d'éléments hétéroclites :

> « Du détroit d'indigo aux mers d'Ossian, sur le sable rose et orange qu'a lavé le ciel vineux, viennent de monter et de se croiser des boulevards de cristal habités incontinent par de jeunes familles pauvres qui s'alimentent chez les fruitiers — Rien de riche. — La ville ! » (*Métropolitain,* p. 182).

Le critique cité ci-dessus attribue à une certaine ambiguïté de la démarche le sentiment de frustration, voire d'échec qui en résultera pour Rimbaud : « Partagé entre un univers brut et un monde de théâtre, entre l'anti-paysage et le décor, il ne parvient pas à créer une réalité qui soit à la fois naturelle et humaine, continue et discontinue, libre et architecturale[2]. »

Dès les *Poésies,* l'équivoque apparaît ; une strophe du *Bateau ivre* revient immédiatement à l'esprit, car Rimbaud y exprime lui-même, plus ou moins consciemment, ce double aspect, création brute d'un ailleurs et fonction architecturale d'un décor théâtral où le poète puisse librement « être » :

1. *Poésie et profondeur,* Éditions du Seuil, 1955, Préface, p. 11.
2. J.-P. Richard, *Poésie et profondeur : R. ou la poésie du devenir,* p. 248.

« J'ai vu le soleil bas, taché d'horreurs mystiques,
Illuminant de longs figements violets,
Pareils à des acteurs de drames très antiques,
Les flots roulant au loin leurs frissons de volets ! » (p. 95).

Toutefois, d'un point de vue plus esthétique, Rimbaud réussit dans cet effort personnel à libérer notre poésie du pittoresque tempéré par le rationnel, à créer un univers aux couleurs étranges, aux fermentations inquiétantes, aux bouleversements vertigineux.

« ... Il lisait son roman sans cesse médité,
Plein de lourds ciels ocreux et de forêts noyées,
De fleurs de chair aux bois sidérals déployées,
Vertige, écroulement, déroutes et pitié »,

écrit-il à propos de lui-même dans *Les poètes de sept ans* (p. 68).

L'exemple le plus caractéristique, et le plus connu, demeure, dans les *Poésies, Le bateau ivre* notamment avec ses :

« Glaciers, soleils d'argent, flots nacreux, cieux de braises !
Échouages hideux au fond des golfes bruns ... » (p. 96),

mais on pourrait aussi relever dans les « directives » de *Ce qu'on dit au poète à propos de fleurs* cette strophe :

« Trouve aux prés fous, où sur le Bleu
Tremble l'argent des pubescences,
Des Calices pleins d'Œufs de feu
Qui cuisent parmi les essences ! » (p. 86).

Et dans les *Voyelles,* la langue elle-même devient créatrice de vision ; « l'ailleurs » y éclot au sein même des mots :

« U, cycles, vibrements divins des mers virides,
Paix des pâtis semés d'animaux, paix des rides
Que l'alchimie imprime aux grands fronts studieux ! »
(p. 79).

On connaît les commentaires désabusés que fera Rimbaud dans *Une saison en enfer,* le texte de remise en cause : « Je m'habituai à l'hallucination simple : je voyais très franchement une mosquée à la place d'une usine, une école de tambours faite par des anges, des calèches sur les routes du ciel (...). Puis j'expliquai mes sophismes magiques avec l'hallucination des mots ! » (p. 141). Mais les *Illuminations* en reviendront provisoirement à cette recréation d'un univers — avant le départ de Rimbaud qui ira chercher de l'autre côté de la Méditerranée un « ailleurs » plus concret. Est-ce la véritable réponse à la question (où vivre ?) que nous posions plus haut ? Il serait vain de prétendre trancher, d'autant plus que le Rimbaud d'après 1875 ne reste pas nécessairement celui que nous avons connu dans son œuvre.

Pour nous borner à l'univers des *Poésies*, constatons simplement que la province et la campagne ardennaises sont rejetées au profit d'un Paris symbolique, d'une Nature transfigurée, d'un Ailleurs créé par le langage ; on comprend alors que Rimbaud ait eu la prescience de la déception qui viendrait fatalement après la fuite dans cet univers illusoire :

« Fileur éternel des immobilités bleues,
Je regrette l'Europe aux anciens parapets ! »

(*Le bateau ivre*, p. 97).

4 Éléments thématiques (« Ni dieu, ni maître »)

Avant d'essayer de pénétrer dans le monde imaginaire de Rimbaud, avant de rechercher humblement quelques fils conducteurs dans l'apparente incohérence des images jaillies de l'inconscient (cf. infra, chapitre 5), il paraît nécessaire de mettre en place les éléments plus conscients d'un monde intellectuel et affectif — tel du moins que l'auteur le transpose dans *Poésies.*

Toutefois, même si les thèmes du regret, de la haine, de la révolte, de la désillusion ou de la quête réapparaissent chacun dans des poèmes diversement datés (puisque chez Rimbaud aucune création ne se fait « ex nihilo » et que les ruptures ne sont pas toujours abruptes), il convient de ne jamais perdre de vue la chronologie ; en effet, comme nous l'avons déjà signalé, notre auteur vit en quelques mois une « aventure » poétique complète qui le mène d'une poésie imprégnée de souvenirs scolaires et de clichés contemporains, mais exprimant déjà l'instinctif, à la découverte de l'entreprise de Voyance (« Brûlez tous les vers que je fus assez sot pour vous donner lors de mon séjour à Douai », écrit-il à Paul Demeny, le 10 juin 1871), enfin au sentiment d'échec que laisse déjà pressentir *Le bateau ivre* — qui date au plus de septembre 1871 et qui pourtant correspond encore à la période des exercices du Voyant. Si un tel bouillonnement explique la juxtaposition de thèmes parfois opposés, une évolution aussi radicale doit nécessairement être prise en compte lorsque, dans une vision plus globale, on veut redonner son « sens » au recueil.

LE REGRET

Avant que Rimbaud ne se tourne vers l'avenir, qu'il ne situe la poésie « en avant », le passé le retient dans les premiers textes : un passé où, bien sûr, littérairement il puise encore une partie de son inspiration, mais surtout pour lui où la tendresse existait *(Les étrennes des orphelins)*, où l'on faisait la révolution *(Le forgeron)*, où le contact avec la nature avait préservé la grandeur de l'homme *(Soleil et chair)*.

Ce dernier texte caractérise assez bien les mouvements de la pensée de Rimbaud, car au moment même où il regrette une époque révolue, il trouve en lui cette aspiration vers un futur — qu'il ne peut alors concevoir que comme un retour au passé :

« Si les temps revenaient, les temps qui sont venus ! » (p. 25).

Ce thème du regret d'un âge d'or reste marqué de réminiscences et il est facile de rapprocher les vers de Rimbaud :

« Je regrette les temps de l'antique jeunesse,
Des satyres lascifs, des faunes animaux... » (p. 24),

des deux premiers vers du *Rolla* de Musset :

« Regrettez-vous le temps où le ciel sur la terre
Marchait et respirait dans un peuple de dieux ? »

Toutefois, un commentateur comme Henry Miller a voulu pour ce texte aller au-delà du souvenir littéraire et a vu dans ce retour à l'innocence païenne, à l'amour universel, la « période d'incubation, courte mais profonde[1] », correspondant à une sorte de paradis de l'enfance ; *Une saison en enfer* commence d'ailleurs ainsi :

« Jadis, si je me souviens bien, ma vie était un festin où s'ouvraient tous les cœurs, où tous les vins coulaient » (p. 123). Ce rapprochement partiel entre l'âge d'or païen et la propre enfance du poète pourrait être conforté par la lecture des vers où Rimbaud évoque la déesse Cybèle :

« L'Homme suçait, heureux, sa mamelle bénie,
Comme un petit enfant, jouant sur ses genoux » (p. 24).

Nous retrouvons là en effet un regret majeur et indiscutablement personnel : celui d'une mère et de sa tendresse.

1. H. Miller, *Le temps des assassins*, p. 90.

L'utilisation des temps du passé dans les strophes III et IV des *Étrennes des orphelins* traduit manifestement la tristesse d'avoir perdu une chaleur maternelle qui lui avait davantage été prodiguée dans sa première enfance :

« Ah ! c'était si charmant, ces mots dits tant de fois !
— Mais comme il est changé, le logis d'autrefois :
Un grand feu pétillait, clair dans la cheminée ... » (p. 21).

Mais dans la mesure où ce manque se voile rapidement du détachement envers « la mère RIMB » (la « mother », anglicisée selon Y. Bonnefoy « pour en conjurer le péril »), nous ne le retrouverons que dévié. Quelle que soit l'origine anecdotique du poème, les rapports entre son héros et les « deux grandes sœurs charmantes » (*Les chercheuses de poux,* p. 93) demeurent bien révélateurs :

« L'enfant se sent, selon la lenteur des caresses,
Sourdre et mourir sans cesse un désir de pleurer. »

L'étude de quelques images nous permettra d'ailleurs de retrouver plus loin ce regret fondamental.

LA HAINE

Il semble n'y avoir qu'un pas chez Rimbaud entre le manque et le mépris ; même si jamais il ne déteste ouvertement sa mère, il passe très rapidement à la dissimulation de ses frustrations et à l'affichage d'une haine étendue à toutes les femmes, d'autres déceptions ou d'autres tendances personnelles y aidant peut-être.

De plus, l'enthousiasme, qui s'exprimait dans *Soleil et chair* et qui correspondait peut-être à une grande illusion personnelle d'amour, fait place aux premières répugnances ; corollairement, l'auteur évolue vers le réalisme : « Le langage est contraint de nommer l'aspect sordide du monde. A la Cypris de *Soleil et chair,* le premier [*Vénus anadyomène*] de ces deux sonnets oppose une Vénus contrefaite, naissant d'une baignoire publique, « belle hideusement d'un ulcère à l'anus[1] ». *Les reparties de Nina* (par le décalage qu'implique ce poème

1. Y. Bonnefoy, *Rimbaud par lui-même,* p. 30.

entre l'homme lyrique et la femme prosaïque) est à cet égard un poème-charnière qui marque la chute des illusions ; l'Amour sera désormais condamné dans son avatar féminin :

« O mes petites amoureuses,
Que je vous hais ! » (p. 64).

Mais on sait qu'après avoir allégrement piétiné la femme, après avoir bafoué sa sottise et sa laideur, Rimbaud revient sur sa condamnation, en transférant sa haine à la société rendue responsable de la condition féminine ; et en tête de ces nouvelles cibles figure bien sûr la religion, la grande coupable. Les propos tenus par la femme à son amant établissent clairement la nouvelle attitude de Rimbaud :

« J'étais bien jeune, et Christ a souillé mes haleines.
Il me bonda jusqu'à la gorge de dégoûts ! (...)
Tes baisers, je ne puis jamais les avoir sus :
Et mon cœur et ma chair par ta chair embrassée
Fourmillent du baiser putride de Jésus ! »

(*Les premières communions,* p. 92).

C'est que, de façon générale, le catholicisme apparaît à notre auteur comme une déviation des instincts, donc un asservissement, une sorte d'« Opium du peuple » :

« Parqués entre des bancs de chêne, aux coins d'église (...)
Heureux, humiliés comme des chiens battus,
Les Pauvres au Bon Dieu, le patron et le sire,
Tendent leurs orémus risibles et têtus. »

(*Les pauvres à l'église,* p. 73).

La haine de Rimbaud se veut telle qu'elle implique les blasphèmes les plus violents ; relevons à titre d'exemples quelques amabilités : « La foi mendiante et stupide », « les divins babillages », « des mysticités grotesques » ... N'omettons pas la présentation des lieux du culte :

« Tous les cent ans on rend ces granges respectables
Par un badigeon d'eau bleue et de lait caillé » (p. 88).

Après cela, l'anticléricalisme va de soi et l'on n'est guère étonné de rencontrer Frère Milotus en situation peu flatteuse,

« Car il lui faut, le poing à l'anse d'un pot blanc,
A ses reins largement retrousser sa chemise ! »

(*Accroupissements,* p. 65),

ou encore de trouver cette définition du prêtre officiant :

« Un noir grotesque dont fermentent les souliers » (p. 87).

Cette violence peut paraître bien facile ; en fait, elle n'est pas gratuite : Rimbaud a bien le sentiment d'avoir été volé, d'avoir été dépossédé. Celui que Claudel qualifiera de « mystique à l'état sauvage » range le catholicisme à côté de la bureaucratie prostrée, de la bourgeoisie à bedaine, toutes incarnations de l'Ordre, toutes répressions de l'instinct, donc de la vie.

Ainsi la haine de Rimbaud glisse de la femme qui lui a infligé ses premières souffrances, à la religion comme élément social déterminant, donc comme principale responsable des asservissements, celui de la femme compris :

« [...] Dieu qui pour deux mille ans vouas à ta pâleur,
Cloués au sol, de honte et de céphalalgies,
Ou renversés, les fronts des femmes de douleur. »

(*Les premières communions,* p. 93).

L'ESPOIR ET LA RÉVOLTE

Face à ce qu'Y. Bonnefoy appelle fort pertinemment « la dégradation même de l'être, la dégradation du possible en chose inerte et réalisée (la société, les religions moralisées, la morale close, les objets morts) », Rimbaud « doit ranimer l'énergie animale déconcertée pour retrouver l'état de fils du soleil[1] ». Ainsi l'espoir en une nouvelle vie est indissolublement lié avec la révolte contre une société déchue, étouffante ; d'ailleurs se révolter, n'est-ce pas déjà retrouver en soi cet élan vital qu'a tenté de freiner la vie sociale ?

Puisque le triste horizon familial et social d'ici-bas l'a privé de l'amour humain, la valeur fondamentale dans cette « vraie vie » sera l'Amour universel. Mais il ne s'agit pas d'une abstraction : la sensualité n'est pas refoulée ; au contraire, elle peut prendre tout son sens dans cette revitalisation des instincts. *Soleil et chair* le supposait déjà en calquant le futur sur l'âge d'or antique.

« O splendeur de la chair ! ô splendeur idéale !
O renouveau d'amour, aurore triomphale ... » (p. 27).

1. Y. Bonnefoy, *Rimbaud par lui-même,* p. 20.

Et un poème comme *Les premières communions* (p. 87) précise nettement ce thème en opposant l'amour à la religion et en le situant dans la nature (dont on a vu qu'elle était pour Rimbaud non pas une campagne à décrire, mais la dernière manifestation de l'état primitif, de l'état « brut » et qu'il peut ainsi parer d'instincts humains, mais refoulés par la vie sociale) :

« Vraiment, c'est bête, ces églises des villages (...)
Mais le soleil éveille, à travers des feuillages,
Les vieilles couleurs des vitraux irréguliers.
La pierre sent toujours la terre maternelle.
Vous verrez des monceaux de ces cailloux terreux
Dans la campagne en rut qui frémit solennelle... »

Selon Delahaye, Rimbaud rêvait depuis l'âge de treize ou quatorze ans à la destruction violente de la société ; on comprend qu'après la dislocation de l'ordre établi en 1870, avec l'espoir de la Commune, l'idée de cette métamorphose générale par le biais d'une rénovation politique ait pu donner au moins apparemment une autre portée à la révolte personnelle.

La Révolution : ce passage d'un besoin personnel d'amour à l'alliance avec les forces plus vraies, plus instinctives des travailleurs s'esquissait déjà dans *Le forgeron.* « Nous avions quelque chose au cœur comme l'amour » (p. 35) déclare le Révolté à Louis XVI, avant d'ajouter :

« Nous sommes Ouvriers, Sire ! Ouvriers ! Nous sommes
Pour les grands temps nouveaux où l'on voudra savoir,
Où l'Homme forgera du matin jusqu'au soir (...)
Nous faisons quelquefois ce grand rêve émouvant
De vivre simplement, ardemment, sans rien dire
De mauvais, travaillant sous l'auguste sourire
D'une femme qu'on aime avec un noble amour (...) » (p. 37 et 38).

Ce thème ouvriériste réapparaît en opposition avec la religion au moins à deux reprises. Dans *Les poètes de sept ans :*

« Il n'aimait pas Dieu ; mais les hommes, qu'au soir fauve,
Noirs, en blouse, il voyait rentrer dans le faubourg » (p. 68)

et dans *Les mains de Jeanne-Marie :*

« Leur chair chante des Marseillaises
Et jamais les Eleisons » (p. 75).

On comprend que vouloir transformer Rimbaud en socialiste est aller trop loin. En fait, sa vision subjective des nécessités d'une transformation sociale, ses conceptions négatives (le rôle social exact du Voyant reste assez imprécis et comme le note M.-A. Ruff, politiquement, « son devoir est de destruction, de désintégration[1] ») font davantage de lui un contestataire.

Donc, sans vouloir méconnaître dans l'ensemble des *Poésies* l'importance quantitative de cet avatar politique de la révolte individuelle, essayons plutôt de revenir à l'essence même du mouvement : se révolter, c'est déjà se libérer en affirmant que l'on est différent et qu'il existe — ou existera — autre chose. « Finis les larmes, les gémissements, les macérations, la docilité, la soumission, les croyances et les prières puériles. Au large les idoles et les foutaises de la science. A bas les dictateurs, les démagogues et les agitateurs. Ne maudissons pas la vie, adorons-la ! L'intermède chrétien tout entier a été un reniement de la vie, un reniement de Dieu, un reniement de l'Esprit. La liberté n'a même pas encore été rêvée. Libérez l'esprit, le cœur, la chair[2] ! » : Henry Miller commente ainsi dans *Le temps des assassins* le mouvement essentiel de libération. Rimbaud, non sans complaisance, se pose face à la morale traditionnelle comme « le Maudit suprême aux nuits sanglantes », celui qui a eu le courage de se redresser et qui en tire maintenant tout son orgueil :

« Juste ! plus bête et plus dégoûtant que les lices [chiennes] !
Je suis celui qui souffre et qui s'est révolté ! (...)
Je suis maudit, tu sais ! Je suis soûl, fou, livide,
Ce que tu veux ! Mais va te coucher, voyons donc,
Juste ! Je ne veux rien à ton cerveau torpide. »

(*Le Juste restait droit ...*, p. 80).

Ainsi le thème de la révolte se module dans *Poésies* de façon assez nette : se révolter pourrait être en soi suffisant, puisque, pour Rimbaud, cela équivaut à affirmer orgueilleusement son identité, voire son être ; néanmoins, le poète ressent le besoin de se justifier en s'assignant un but : appel à un boulever-

1. M.-A. Ruff, *Rimbaud*, p. 66.
2. H. Miller, *Le temps des assassins*, p. 92.

sement politique, et surtout, par-delà, aspiration à un autre univers où rayonnerait l'Amour. Révolte contre l'Ordre et espoir en la vie ; redonnons la parole à Rimbaud lui-même qui, dans l'avant-dernier texte d'*Une saison en enfer,* revient en dépit de toutes désillusions à sa foi : « Quand irons-nous, par-delà les grèves et les monts, saluer la naissance du travail nouveau, la sagesse nouvelle, la fuite des tyrans et des démons, la fin de la superstition, adorer — les premiers ! — Noël sur la Terre !
Le chant des cieux, la marche des peuples ! Esclaves, ne maudissons pas la vie » (*Matin,* p. 150).

LA QUÊTE DE L'INCONNU

En lisant les lignes de Rimbaud à propos du poète : « Car il arrive à l'inconnu ! Puisqu'il a cultivé son âme, déjà riche, plus qu'aucun ! Il arrive à l'inconnu ... », on ne peut s'empêcher d'évoquer les vers fameux de Baudelaire :

« Plonger au fond du gouffre, Enfer ou Ciel, qu'importe ?
Au fond de l'Inconnu pour trouver du *nouveau !* »

(Le voyage)

Toutefois, les vers ci-dessus sont les derniers de l'ultime partie des *Fleurs du mal : La mort,* alors que chez Rimbaud, il ne s'agit pas d'une découverte post-terrestre, mais de l'entreprise d'un vivant qui désire précisément se « revitaliser », retrouver le véritable sens de la vie.

Que cette quête se fasse hors des normes morales paraît assez évident : le monde où nous vivons avec sa distinction entre le bien et le mal a privilégié une partie de nos virtualités au détriment des autres ; le possible s'en trouve limité et qui en prend conscience se sent infirme : nous l'avons déjà souligné, la frustration apparaît plus nettement à Rimbaud dans le domaine de la sexualité qui, au lieu de rester un élan naturel, doit se dissimuler, devenir vice, c'est-à-dire déviation de l'instinct. Y. Bonnefoy résume tout cela en une formule : « Comme le Christ, le poète à venir doit mettre fin à la saison en enfer de l'âme, en disant non à la loi[1]. »

1. Y. Bonnefoy, *Rimbaud par lui-même,* p. 176.

Lorsqu'après avoir évoqué le rôle du poète (« le poète définirait la quantité d'inconnu s'éveillant en son temps dans l'âme universelle... Énormité devenant norme, ... il serait vraiment un multiplicateur de progrès ! »), Rimbaud dans cette seconde « lettre du Voyant » ajoute que « Musset n'a rien su faire : il y avait des visions derrière la gaze des rideaux : il a fermé les yeux », il semble en venir à cette théorie d'une réalité cachée qu'il appartiendrait ainsi à la poésie de retrouver au nom de l'humanité. Peut-il s'agir par exemple des visions du *Bateau ivre* où de nouvelles apparences sensibles sont évoquées ?

« J'ai heurté, savez-vous, d'incroyables Florides
Mêlant aux fleurs des yeux de panthères à peaux
D'hommes ! Des arcs-en-ciel tendus comme des brides
Sous l'horizon des mers, à de glauques troupeaux ! » (p. 95).

En fait, l'entreprise découvrira vite son incommunicabilité fondamentale : l'« énormité » d'un seul ne devient pas « norme ». Même s'ils apportent « du nouveau », ces vers ne peuvent aider à construire le véritable univers de demain, celui qui devait reprendre sens, car ils mettent en place une autre nature, esthétiquement admirable et provisoirement consolante pour le poète puisqu'elle est un « ailleurs », mais construite à coup de visions et d'hallucinations personnelles.

Malgré le désir constant chez Rimbaud de se resituer dans un mouvement universel, de généraliser son entreprise — lui, le solitaire, l'orgueilleux ! — force lui sera de constater qu'il ne travaille pas fondamentalement pour l'humanité ; il retrouvera bien vite le sentiment d'être seul, de s'être lancé dans une aventure d'où l'on ne rapporte rien de partageable, de n'en pouvoir tirer les fondements de la « vraie vie ». L'entreprise du Voyant se fondait en effet sur des mouvements bien contradictoires : alors qu'elle se voulait généralisation finale, extension à l'Universel, elle partait d'un repli sur soi-même (« la première étude de l'homme qui veut être poète est sa propre connaissance, entière ; il cherche son âme, il l'inspecte, il la tente, l'apprend[1] »).

Redonnons par conséquent à cette quête de l'Inconnu sa véritable dimension : celle d'un voyage en soi-même où se

1. Lettres dites « du Voyant ».

consume en vain l'énergie du « voleur de feu », incapable de rapporter quelques étincelles d'un feu interdit. Dans cette recherche de soi, Rimbaud s'exclame par deux fois :

« *Je est un autre*. Tant pis pour le bois qui se trouve violon... » (à G. Izambard),

« *Je est un autre*. Si le cuivre s'éveille clairon, il n'y a rien de sa faute » (à P. Demeny).

M.-A. Ruff ramène la formule à « un lieu commun : celui de l'inspiration qui, à l'inspiré, semble venir du dehors, d'un *autre,* — à tel point que bien souvent le poète n'est pas capable de *comprendre* ni de *juger* son œuvre[1] ». Rimbaud s'affirme ainsi comme l'instrument (le bois devenu violon, le cuivre devenu clairon) de connaissances transmises sans avoir été nécessairement maîtrisées par lui : « La chanson est si peu souvent l'œuvre, c'est-à-dire la pensée chantée et *comprise* du chanteur[2]. » Le meilleur poète n'est donc pas le plus logique, le plus conscient, le plus raisonnable, mais celui qui aura su s'enrichir en cultivant son âme, en y ajoutant des cordes nouvelles capables de vibrer même à son insu.

« Il s'agit de faire l'âme monstrueuse : à l'instar des comprachicos[3], quoi ! Imaginez un homme s'implantant et se cultivant des verrues sur le visage. »

L'homme médiocre, prisonnier de sa raison et de ses préjugés, ne peut connaître cet épanouissement total ; Rimbaud est prêt à en payer le prix (« Qu'il crève dans son bondissement par les choses inouïes et innommables ») et à mener à son terme la méthode qui est, on le sait, « un long, immense et raisonné dérèglement de tous les sens ».

Il faut insister : le dérèglement n'est pas un but, mais un moyen pour « arriver à l'inconnu ». J.-P. Richard le souligne : « Le dérèglement constitue un exercice préalable en vue d'une fin bien plus haute : et cette fin le dépasse et le nie, puisqu'il s'agit au fond pour Rimbaud de découvrir, dans et par le désordre, une sorte de règle nouvelle[4]. » L'auteur doit désormais mener un travail obstiné et mystérieux, où

1. M.-A. Ruff, *Rimbaud,* p. 70.
2. Lettres dites « du Voyant ».
3. Cf. V. Hugo, *L'homme qui rit :* voleurs d'enfants qui mutilaient leurs victimes pour en faire des monstres et les exhiber.
4. J.-P. Richard, *Poésie et profondeur,* p. 190-191.

l'encrapulement va bien au-delà de la boisson, de la drogue ou de l'homosexualité, n'oubliant (ainsi qu'il le dira plus tard) « aucun des sophismes de la folie — la folie qu'on enferme ». Le dérèglement des organes des sens notamment mène à la synesthésie baudelairienne (les « noirs parfums » du *Bateau ivre* évoquent cet autre mélange de sensations, les « parfums frais » du poème de Baudelaire, *Correspondances*). Il mène aussi à « l'hallucination simple » : « Et j'ai vu quelquefois ce que l'homme a cru voir » ; il suppose encore l'hallucination des mots : ce sont par exemple les images naissant par grappes dans le sonnet des *Voyelles* (p. 78), qui apparaît ainsi comme une autre manifestation de ce thème de la quête de l'Inconnu.

Ce perpétuel besoin d'une fugue vers « l'ailleurs », cette recherche passionnée d'autre chose ne recule donc pas devant le gouffre. Il semble au contraire à Rimbaud qu'en brisant en soi les parapets de la raison, on peut détruire les grilles de la vie sociale.

L'ÉCHEC ET LA DÉSILLUSION

Une saison en enfer portera un jugement peu indulgent sur l'expérience décrite ci-dessus : en mai 1872 ou 1873, il est apparu à Rimbaud que le culte systématique de la folie débouchait sur la folie incontrôlée et que sa recherche d'un soleil rayonnant sur tous l'avait en fait mené « aux confins du monde et de la Cimmérie, patrie de l'ombre et des tourbillons ». Et le poète résumera en une image frappante ses illusions :

« Je me traînais dans les ruelles puantes et, les yeux fermés,
je m'offrais au soleil, dieu de feu. »

Toutefois le thème de l'échec apparaît déjà dans *Poésies*, soit qu'il précède les « lettres du Voyant » — et alors il faut y voir un trait même du caractère de Rimbaud, soit qu'il apparaisse dans des textes postérieurs à mai 1871, voire de mai 1871, date même à laquelle il formule sa théorie : qu'en penser alors ? L'auteur ressent-il en l'exprimant l'aspect illusoire d'une quête nécessairement vouée à l'échec ?

L'exemple le plus frappant des textes de la première catégorie est *Ophélie* (p. 29) de mai 1870 où l'on trouve cette confondante préfiguration du destin de Rimbaud :

« Ciel ! Amour ! Liberté ! Quel rêve, ô pauvre Folle !

Tu te fondais à lui comme une neige au feu ;
Tes grandes visions étranglaient ta parole
— Et l'Infini terrible effara ton œil bleu ! »

Le chercheur d'Inconnu lui-même manquera se perdre dans sa quête et sombrer à cause de ses rêves — comme Ophélie qui meurt, selon lui, d'avoir aspiré à « l'âpre liberté », d'avoir écouté « le chant de la Nature », d'avoir cru à l'Amour.

Le thème de la mort après désillusion, après échec d'une entreprise fondée sur le rêve, réapparaît obstinément. On connaît bien sûr l'une des dernières strophes du *Bateau ivre* (septembre 1871) :

« Mais, vrai, j'ai trop pleuré ! Les Aubes sont navrantes.
Toute lune est atroce et tout soleil amer :
L'âcre amour m'a gonflé de torpeurs enivrantes.
O que ma quille éclate ! O que j'aille à la mer ! » (p. 97).

Après avoir connu les joies de la liberté, l'extase des visions, on ne peut plus, semble-t-il, qu'aspirer à l'anéantissement. Même cheminement dans *Les sœurs de charité :*

« Mais la noire alchimie et les saintes études
Répugnent au blessé, sombre savant d'orgueil ;
Il sent marcher sur lui d'atroces solitudes ... » (p. 78).

Le poète qui a reculé devant l'horrible travail solitaire que suppose la quête de l'inconnu n'a plus qu'à appeler la mort.

On peut même se demander dans quelle mesure l'échec n'était pas déjà inscrit dans l'esprit de Rimbaud le jour même où il formule la théorie du Voyant ; à la première lettre (adressée à Izambard), il joint un poème qui semble développer le thème de la difficulté à agir pour celui qui se sent souillé, avili par un « encrapulement » préconisé par ailleurs :

« Ce seront des refrains bachiques
Quand ils auront tari leurs chiques :
J'aurai des sursauts stomachiques
Si mon cœur triste est ravalé :
Quand ils auront tari leurs chiques,
Comment agir, ô cœur volé ? » (p. 72).

Bien sûr, le poème propose pour sauver ce cœur la fuite sur « les flots abracadabrantesques », mais le terme choisi fait justement songer au monde des illusionnistes et le doute sur soi reste prédominant jusqu'au dernier vers.

Ainsi Rimbaud, qui condamne à l'avance ses « rêves » *(Ophélie)* et qui, au moment où il expérimente la théorie du Voyant, en décrit déjà les désillusions *(Le bateau ivre)*, douterait en plus de sa force dès le mois de mai 1871 ? *Une saison en enfer* en sera peut-être le constat officiel, mais l'échec de Rimbaud est alors déjà inscrit dans *Poésies*.

Le monde imaginaire (« Changer la vie ») 5

« Les métaphores ne sont pas de simples idéalisations qui partent, comme des fusées, pour éclater au ciel en étalant leur insignifiance, mais (...) au contraire, les métaphores s'appellent et se coordonnent plus que les sensations, au point qu'un esprit poétique est purement et simplement une syntaxe des métaphores[1]. »

Nous avons jusqu'à présent tenté de décrire le monde conscient de Rimbaud : les objets sur lesquels il porte son regard, les aspirations manifestées, les sentiments et la pensée — tels du moins que *Poésies* pouvait les porter à notre connaissance ; pour préciser cette approche, il faut tenter de retrouver au sein même du texte comment les thèmes déjà identifiés s'y traduisent en images, mais aussi comment le retour incontrôlé de certaines d'entre elles peut nous renseigner plus intimement sur ce monde intérieur de Rimbaud.

LE SEIN ET LES REFUGES

Y. Bonnefoy commente ainsi l'être même de Rimbaud : « A la fois trop tôt un adulte et trop longtemps le petit enfant. » On a pu en effet parler à propos de certaines images ou de certaines attitudes chez Rimbaud de « fixation maternelle »,

1. Gaston Bachelard, *La psychanalyse du feu* (conclusion), Gallimard, collection Idées, 1965.

voire de « régression infantile » ; et il est facile par exemple de montrer chez lui le regret de la sensualité enfantine en se fondant sur des vers comme ceux-ci :

« ... [Quand] elle avait sauté,
Dans un coin, sur son dos, en secouant ses tresses,
Et qu'il était sous elle, il lui mordait les fesses,
Car elle ne portait jamais de pantalons ;
— Et, par elle meurtri des poings et des talons,
Remportait les saveurs de sa peau dans sa chambre »
(*Les poètes de sept ans*, p. 67-68).

On connaît cependant les dangers que comporte la psychanalyse excessive d'un texte (pourquoi à ce compte ne pas parler aussi de tendances sado-masochistes dans le texte ci-dessus ?). Bornons-nous donc à rappeler d'une part l'indiscutable présence de la Mère dans *Poésies* et à relever d'autre part la séquence indéniable d'images qui se rapportent à cette carence affective bien établie par les biographes.

Notons d'abord le retour obsédant des allusions au Sein, allusions à la portée affective évidente. Il est d'ailleurs caractéristique que le Sein, dont l'enfant privé de tendresse se sent symboliquement sevré, fascine l'auteur dans les premiers textes, pour être ensuite rejeté, tourné en dérision.

Dans *Soleil et chair*, Rimbaud évoque ainsi la déesse Cybèle :

« Son double sein versait dans les immensités
Le pur ruissellement de la vie infinie.
L'Homme suçait, heureux, sa mamelle bénie,
Comme un petit enfant, jouant sur ses genoux » (p. 24)

tandis que, plus loin, Cypris passe, « étrangement belle » et « étale fièrement l'or de ses larges seins ». De même la servante, dans *Au cabaret-vert*, subit le même « grossissement » révélateur :

« la fille aux tétons énormes » (p. 54).

En un mouvement caractéristique chez Rimbaud, que nous avons déjà eu l'occasion de signaler, le ton change rapidement et devient méprisant :

« Vos tétons laids »
(*Mes petites amoureuses*, p. 64),

« Leurs seins crasseux dehors, ces mangeuses de soupe... »
(*Les pauvres à l'église*, p. 73).

Accordons enfin une place privilégiée à ce vers :

« C'est toi qui pends à nous, porteuse de mamelles »

(*Les sœurs de charité,* p. 77),

où Rimbaud s'offre la compensation d'inverser les rôles et de nier sa propre frustration en soutenant qu'en réalité c'est la femme qui a besoin de l'homme.

On sait qu'il est un autre symbole, un autre mode privilégié d'expression pour qui regrette l'enfance ou pour qui désire retrouver une protection affective : les refuges, sous toutes leurs formes, intérieurs, sous-bois, lieux clos en général... *Poésies* nous en offre un catalogue assez complet.

Notons en premier lieu la position symbolique des enfants qui apparaissent dans *Les effarés :* ils sont à l'extérieur, au froid et se pressent autour d'un soupirail (d'ailleurs, « chaud comme un sein » et qui « souffle la vie »), car dans cet inaccessible intérieur se trouvent la chaleur, la nourriture, l'adulte fort et rassurant. Projection — et encore généralisation — du désir propre à Rimbaud.

Et lorsque celui-ci désire montrer combien la mort est déplacée, combien elle choque dans une nature maternelle, il choisit un « trou de verdure » qui dans son univers imaginaire représente le bonheur ; le soldat, qualifié d'« enfant malade », n'y est-il pas d'ailleurs venu chercher son dernier refuge ?

« Nature, berce-le chaudement : il a froid »

(*Le dormeur du val,* p. 53).

Mentionnons également les deux intérieurs d'auberges *(Au cabaret-vert* et *La maline),* avec dans les deux cas le bonheur de la nourriture servie, l'hospitalité d'une femme et le bien-être du voyageur :

« Bienheureux, j'allongeai les jambes sous la table... »,

« En mangeant, j'écoutais l'horloge, — heureux et coi. »

La présence de l'auberge a donné lieu à un débat qui montre l'importance de ce thème : alors que C. A. Hackett[1] soutenait que le « repos dans un asile protecteur » devait faire assimiler ce dernier au sein maternel, Jacques Plessen, s'inspirant de Gaston Bachelard, montre qu'au contraire « l'image de l'auberge renferme dans une parfaite synthèse le bonheur du

1. C. A. Hackett, *Rimbaud l'enfant,* J. Corti, 1948.

repos et le joyeux dynamisme de la marche. Par conséquent, il conviendrait de la détacher des images de régression infantile, car ce lieu de passage prometteur de joyeux rites de passages peut signifier l'espoir d'une entrée dans l'âge adulte, d'une conquête de la virilité[1] ».

Une telle ambiguïté apparaît — avec plus de netteté encore — dans *Rêvé pour l'hiver.* Ce poème, que l'on peut être tenté de délaisser, voire de condamner pour mièvrerie, réalise en fait une étonnante synthèse ; il cumule le réconfort d'un intérieur hospitalier et protecteur (avec cette fois encore une compréhension féminine) et les joies de la fugue, donc du mouvement de liberté :

« L'hiver, nous irons dans un petit wagon rose
Avec des coussins bleus.
Nous serons bien. Un nid de baisers fous repose
Dans chaque coin moelleux » (p. 52).

La peur de l'extérieur s'y manifeste même tout à fait clairement — même si, en un léger décalage, Rimbaud l'attribue à sa compagne (la condition masculine s'accordant peu avec l'expression de ce genre de sentiments...) :

« Tu fermeras l'œil, pour ne point voir, par la glace,
Grimacer les ombres des soirs,
Ces monstruosités hargneuses, populace
De démons noirs et de loups noirs. »

Il s'agit néanmoins de ce même recul fondamental devant le monde extérieur, dont Rimbaud parle ailleurs avec plus de noblesse et en le transposant sur un plan moral :

« Le jeune homme, devant les laideurs de ce monde
Tressaille dans son cœur largement irrité. » (*Les sœurs de charité,* p. 77).

Par opposition avec ces blessures que l'on reçoit de l'extérieur, les meubles eux-mêmes semblent fasciner le poète : l'armoire ou le buffet deviennent sécurisants, parce que leurs flancs peuvent paraître l'ultime refuge, le trou où l'on pourrait retourner se tapir un peu dans la même position fœtale que les enfants des *Effarés* devant le soupirail — mais aussi, plus superficiellement, parce qu'ils symbolisent une véritable vie familiale avec ses rites, ses souvenirs, ses joies :

1. J. Plessen, *Promenade et poésie,* Mouton, 1967, p. 199 et 200.

« (...) On rêvait bien des fois
Aux mystères dormant entre ses flancs de bois,
Et l'on croyait ouïr, au fond de la serrure
Béante, un bruit lointain, vague et joyeux murmure... »
(*Les étrennes des orphelins*, p. 21).

« C'est un large buffet sculpté ; le chêne sombre,
Très vieux, a pris cet air si bon des vieilles gens (...)
Tout plein, c'est un fouillis de vieilles vieilleries (...) »
(*Le buffet*, p. 56).

On voit ainsi l'importance — aux côtés des images d'évasion que nous allons évoquer maintenant — de cette tendance contraire, et souvent niée au niveau conscient, qui pousserait « l'homme aux semelles de vent » à se trouver un refuge susceptible de remplacer une protection maternelle perdue.

L'ERRANCE

H. Miller évoque le comportement de Rimbaud en ces termes : « paranoïa ambulatoire ». La vie même du poète recèle effectivement de multiples départs et dès l'un de ses premiers poèmes, il fait sienne l'image baudelairienne :

« Et j'irai loin, bien loin, comme *un bohémien* »
(*Sensation*, p. 23).

Le désir de fuite renaît perpétuellement en lui, mais — on s'est plu à le souligner — ce fugueur revient presque toujours au lieu qu'il a fui : quelques mois avant sa mort, déjà amputé, il revient en Ardenne, la campagne tant exécrée ; il est vrai qu'aucun lieu ne semble le satisfaire, pas même l'Afrique (« ces sales pays », écrit-il le 7 avril 1887) : en fait l'essentiel pour lui dans le voyage n'est pas d'aller quelque part, mais tout simplement d'*aller*, voire de partir. Quel dur châtiment pour Rimbaud que cette amputation d'une jambe à la fin de sa vie : « Où sont les courses à travers monts, les cavalcades, les promenades, les déserts, les rivières et les mers ? », se plaint-il dans une lettre à sa sœur en juillet 1891.

Nous avons déjà été amené à signaler comment Rimbaud arrivait à concilier cet appel de la route et le besoin d'un refuge : l'auberge représentait ce lieu suffisamment ambivalent ; une lecture peut-être trop pointilleuse pourrait également conduire à relever que même en cet autre asile de tendresse décrit dans *Les chercheuses de poux* (p. 93), l'enfant reste à proximité d'une « croisée grande ouverte » — donc que le bonheur retrouvé n'exclut tout de même pas la possibilité d'évasion.

Jacques Plessen, que nous avons déjà cité, a jugé le voyage tellement capital à la compréhension du poète qu'il a consacré une longue étude à « l'expérience de la marche et du mouvement dans l'œuvre de Rimbaud » :
« Dans la vie de Rimbaud, la promenade, la marche, les voyages ont tenu une place importante. Et comme le promeneur était poète, il a infusé tout naturellement son expérience ambulatoire dans la poésie[1]. »

Le critique y commente longuement l'image du bateau, reprenant notamment l'affirmation de Y. Bonnefoy : « le bateau plusieurs fois rêvé comme le symbole de la vraie vie[2] ». On sait toutefois que Étiemble, le pourfendeur du « Mythe de Rimbaud », refuse d'accorder la même importance au *Bateau ivre* qui, « écrit en 1871 par un virtuose du pastiche et qui voulait se voir imprimé au Parnasse contemporain, développe tout uniment l'un des symboles favoris des Parnassiens ». Bien sûr, il s'agit là d'un symbolisme très répandu, mais Rimbaud le renouvelle avec une telle flamme, un tel souffle qu'il est tout de même difficile de ramener le poème à un « pastiche ».

On peut être tenté de voir dans le bateau une autre synthèse du refuge et de l'errance : n'est-il pas *a priori* — comme le « petit wagon rose » — le lieu clos et abrité, mais qui permet le voyage ? Roland Barthes en concluant un chapitre de *Mythologies,* intitulé *Nautilus et bateau ivre,* mais surtout consacré à Jules Verne, évoque de biais notre problème en écrivant :
« La plupart des bateaux de légende ou de fiction sont à cet égard, comme le Nautilus, thème d'un enfermement chéri (...). L'objet véritablement contraire au Nautilus de Verne, c'est le Bateau ivre de Rimbaud, le bateau qui dit « je » et, libéré de sa concavité, peut *faire passer l'homme d'une*

1. J. Plessen, *Promenade et poésie,* p. 8.
2. Y. Bonnefoy, *Rimbaud par lui-même,* p. 172.

psychanalyse de la caverne à une poétique véritable de l'exploration[1]. »

En effet, dans le poème, aucune allusion ne permet d'évoquer l'enfermement à l'intérieur du bateau ; tout au plus, à la fin, retrouvons-nous cet attrait (ici mêlé d'amertume) pour un asile où cette fois encore se trouve un enfant (« Si je désire une eau d'Europe, c'est la flache[2] noire et froide... »). Mais, dans l'ensemble, ce poème est caractéristique de l'errance, car l'accent est mis sur le mouvement en tant que tel, et non plus sur le lieu (étape ou mode de locomotion). Le fait d'ailleurs que le bateau privé de gouvernail soit soumis à la volonté des flots, n'est même pas ressenti comme un nouvel asservissement (« Autre forme typiquement rimbaldienne de la liberté : la dérive[3] », écrit J.-P. Richard) :
« Les Fleuves, m'ont laissé descendre où je voulais », « Libre, fumant, monté de brumes violettes, / Moi qui trouais le ciel rougeoyant comme un mur... » On peut d'ailleurs se demander à propos de ce dernier vers s'il contient la simple description d'un bateau se découpant sur le ciel, s'il faut lui attribuer la valeur symbolique d'un passage dans « l'Inconnu » (au-delà du mur), ou s'il convient de rapprocher l'image de celles d'ascension que nous étudierons plus loin — les trois interprétations ne s'excluant d'ailleurs pas nécessairement.

On ne peut de toute façon dissocier cette course folle de l'entreprise du Voyant : le texte lui-même nous incite à rapprocher l'errance et la voyance. Le vogueur, poussé par « d'ineffables vents », rappelle sa vision privilégiée :

« Et j'ai vu quelquefois ce que l'homme a cru voir ! »
« J'ai vu des archipels sidéraux ! et des îles
Dont les cieux délirants sont ouverts au vogueur (...). »

On a d'ailleurs parfois souligné que la mer pouvait représenter dans ce poème le langage poétique lui-même, moyen d'accession à l'Inconnu :

« Et dès lors, je me suis baigné dans le Poème
De la Mer (...) » (p. 94).

1. Roland Barthes, *Mythologies*, Éd. du Seuil, 1957, p. 82.
2. Ardennisme désignant une mare (cf. une « flaque »).
3. J.-P. Richard, *Poésie et profondeur*, p. 232.

Et, toutes proportions gardées, le lien entre la fugue et la poésie apparaît déjà dans *Ma bohème :*

« J'allais sous le ciel, Muse ! et j'étais ton féal » (p. 56).

Ainsi la fuite apparaît chez Rimbaud comme un mouvement fondamental : elle est libération, fermentation poétique, redécouverte de l'être. On peut alors redonner toute sa portée à cet avant-dernier vers des *Corbeaux :*

« Laissez les fauvettes de mai
Pour ceux qu'au fond du bois enchaîne,
Dans l'herbe *d'où l'on ne peut fuir,*
La défaite sans avenir » (p. 58),

où la mort est ressentie comme immobilisation, la suprême souffrance pour Rimbaud.

Il est d'ailleurs intéressant de noter que le mépris chez Rimbaud trouve son expression dans une image antithétique : celle de l'accroupissement. Alors que la marche équivaut à la liberté, l'accroupissement selon lui représente la routine, la sottise, l'avilissement. On songe bien sûr au personnage des *Assis* (p. 58) que Rimbaud, au comble du dégoût, replie un peu plus sur sa chaise (jusqu'à ce qu'il retrouve cette position fœtale évoquée supra, qui serait alors parallèlement objet de regret et de mépris, comme symbole évident de l'assujettissement) :

« Et les Assis, genoux aux dents, verts pianistes,
Les dix doigts sous leur siège (...). »

Mentionnons ces autres « accroupis » : Frère Milotus, « ses genoux à son ventre tremblant » (dans *Accroupissements,* p. 65), ou les gros propriétaires hostiles à la République, « Les Ruraux qui se prélassent dans de longs accroupissements » — tous personnages méprisables pour Rimbaud parce qu'ils ne bougent pas, ne connaissent pas l'ivresse du Bateau qui fuit :

« Oh ! ne les faites pas lever ! C'est le *naufrage...* »

(*Les assis,* p. 59).

L'ASCENSION

Nous venons déjà, avec ces images d'errance, d'évoquer le mouvement dans l'œuvre de Rimbaud. Mais à l'exception de ce vers bivalent que nous avons signalé dans *Le bateau ivre* (« Moi qui trouvais le *ciel* rougeoyant comme un *mur* »), il s'agissait d'un mouvement horizontal. Les images que nous allons tenter de regrouper maintenant évoquent bien sûr la verticalité : la portée symbolique du mouvement vers le haut paraît assez conventionnelle et il est amusant que Rimbaud contempteur du catholicisme en retrouve ainsi inconsciemment la tradition. Jean-Pierre Richard, suivi par Jacques Plessen, parle dans une optique assez voisine de « dégagement » : « L'ancienne, la morose unité du moi éclate soudain et se métamorphose en une multiplicité véhémente. Et dans le même mouvement les choses se libèrent aussi ; elles échappent à l'empire de l'habitude ou de la raison ; elles jaillissent et s'éparpillent aux quatre coins d'un ciel tout neuf. Ainsi se réalise, sous sa forme la plus spontanée, la plus merveilleusement immédiate, ce dégagement des sens et des objets vers lequel tend toute l'ascèse rimbaldienne[1]. »

L'errance visait déjà à la libération ; mais dans cette fuite à ras de terre, s'il était possible de chercher un « ailleurs », Rimbaud semble marquer qu'il n'a pu rencontrer cet « au-delà » où réside peut-être l'inconnu et qui suppose un dégagement plus radical. Faut-il expliquer ainsi l'échec du *Bateau ivre ?* Faut-il pousser à son terme l'explication de cette strophe :

« J'ai vu des archipels sidéraux ! et des îles
Dont les cieux délirants sont ouverts au vogueur :
— Est-ce en ces nuits sans fond que tu dors et t'exiles,
Million d'oiseaux d'or, ô future Vigueur ? » (p. 97),

en opposant le résultat effectif de la vision évoquée dans les deux premiers vers à l'envol suggéré à la fin, symbole de l'inatteint, voire de l'inaccessible ? D'ailleurs, les oiseaux qui accompagnent dans sa course le bateau ne s'envolent pas, mais se contentent de développer horizontalement autour de lui une agitation de basse-cour :

« Presque île, ballottant sur mes bords les querelles
Et les fientes d'oiseaux clabaudeurs aux yeux blonds » (p. 96).

On pourrait évoquer d'autres oiseaux dans *Poésies,* qui ne répondent pas à l'attente d'un envol et incarneraient ainsi

1. J.-P. Richard, *Poésie et profondeur,* p. 190.

l'échec de l'ascension, conçue non seulement comme quête du Voyant, mais aussi plus simplement comme élan spontané pour fuir le quotidien. Dans *Les étrennes des orphelins,* ils se laissent assimiler au froid et à la grisaille :

« — Au-dehors, les oiseaux se rapprochent frileux ;
Leur aile s'engourdit sous le ton gris des cieux » (p. 19).

Encore plus nettement, dans *Les corbeaux,* des oiseaux qui descendent au lieu de s'élancer vers le ciel, deviennent symboles de mort :

« Seigneur, quand froide est la prairie,
Quand dans les hameaux abattus,
Les longs angelus se sont tus...
Sur la nature défleurie
Faites s'abattre des grands cieux
Les chers corbeaux délicieux » (p. 57).

Et le « funèbre oiseau noir » est ainsi opposé aux « fauvettes de mai » qui, elles, sont replacées (en un mouvement cette fois ascensionnel) « en haut du chêne, / Mât perdu dans le soir charmé ».

Si l'on admet que les oiseaux peuvent incarner chez Rimbaud — jusqu'en ses échecs — cet effort vers le haut, ce besoin de « dégagements », on comprend mieux ce vers du *Bateau ivre :* « l'Aube exaltée ainsi qu'un peuple de colombes ». L'Aube en effet est début d'ascension, espoir : on peut alors la rapprocher de cette vitalité des oiseaux qui ne demandent eux aussi qu'à jaillir avec allégresse dans le ciel. L'Aube et les oiseaux côte à côte peuvent être assimilés à l'enthousiasme, car ils représentent encore le début absolu, le possible à l'état brut ; un instant, le poète peut rêver qu'il s'échappe enfin :

« Des humains suffrages,
Des communs élans
Là tu te dégages
Et voles selon. »

(*L'éternité,* p. 109).

En citant le vers du *Bateau ivre :*

« Million d'oiseaux d'or, ô future Vigueur »,

nous avons rencontré une première fois ce thème de l'or associé à l'Inconnu avec déjà un doute sur la possibilité d'atteindre ce dernier. « D'où sont venus ces oiseaux d'or de Rimbaud ? Et où vont-ils ? Ce ne sont ni des colombes, ni des vautours ; leur demeure est dans les sphères, ce sont des messagers privés, éclos des ténèbres, et qui ont pris leur essor dans la lumière des illuminations (...). Ce sont les oiseaux rares de l'esprit, les oiseaux migrateurs de soleil en soleil[1]. » Henry Miller, qui commente ainsi l'image des oiseaux d'or, paraît bien optimiste lorsqu'il les qualifie de « messagers privés » et plus rimbaldiste que Rimbaud lorsqu'il ajoute à propos du poète :

« S'il réussit à se libérer, c'est pour, dans son essor, se sacrifier au soleil (...) il se retrouve tout seul en plein ciel. Seul, mais entouré de ses créations qui le soutiennent. L'impossible est accompli (...). Dans l'immense cœur solaire de l'univers, les oiseaux d'or chantent à l'unisson. Là, pour toujours, ce n'est qu'aurore, paix, harmonie et communion. Ce n'est pas en vain que l'homme regarde vers le soleil : il lui réclame lumière et chaleur... »

Si ces lignes ont le mérite de lier à l'image de l'ascension celles de l'or, de la lumière, du feu et du soleil, elles nous présentent un Rimbaud triomphant — oiseau d'or s'envolant vers le soleil — alors qu'en fait, le sentiment d'une impossibilité transparaît le plus souvent dans l'œuvre.

Nous avons déjà marqué que la possibilité d'envol n'était qu'un rêve, et l'or lui-même équivaut bien souvent à l'inaccessible. On songe bien sûr au dernier vers du poème *Larme,* tel du moins qu'il est repris dans *Une saison en enfer :*

« Pleurant, je voyais de l'or — et ne pus boire » (p. 140).

Le plus souvent, l'or est placé au-dessus du poète (« cieux d'or » dans *Les premières communions ;* « des pleurs d'or astral » dans *L'orgie parisienne*) et est assimilé à une

1. H. Miller, *Le temps des assassins,* p. 79.

connaissance qui, lorsqu'elle descend jusqu'à nous, reste incompréhensible :

« Un chant mystérieux tombe des astres d'or »

(*Ophélie*, p. 29).

Car cette connaissance symbolisée par l'or suppose l'ascension que Rimbaud met déjà en doute dans un poème de ses débuts, *Soleil et chair* :

« Pourquoi les astres d'or fourmillant comme un sable ?
Si l'on montait toujours, que verrait-on là-haut ? (...)
— Et l'Homme, peut-il voir ? peut-il dire : Je crois ? »
(p. 26).

Il est d'ailleurs curieux de noter comment, à un tout autre niveau, l'or peut chez Rimbaud symboliser l'inaccessible ; il apparaît par exemple dans les rêves des enfants abandonnés, pour qui il se lie au bonheur et à la mère :

« Dans quelque songe étrange où l'on voyait joujoux,
Bonbons habillés d'or (...) »,
« (...) Ayant trois mots gravés en or : — A NOTRE MÈRE ! »

(*Les étrennes des orphelins*, p. 20-22).

Ainsi, de bonheur inaccessible, l'or est devenu connaissance inaccessible, ce que Y. Bonnefoy appelle un « soleil métaphysique (...) vainement cherché ». Le critique insiste d'ailleurs à juste titre sur l'importance de l'alchimie qui a pu, non seulement inspirer l'image (le changement du plomb en or), mais même, au-delà, nourrir chez le poète le besoin d'une redécouverte de la vérité, d'une connaissance retrouvée : « Voici d'ailleurs ce qu'ont suggéré à Rimbaud l'occultisme, l'illuminisme. Une ambition, avant tout, proche de son désir éternel, — rapatrier l'homme dans l'être, le rendre à l'unité qui exista au début des temps[1]. »

Il va de soi qu'une telle quête de la connaissance s'appuie sur les images de lumière ; on est même tenté de parler de cliché : les philosophes du XVIIIe siècle français ont déjà amplement opposé les lumières (pour eux rationnelles) à l'obscurantisme. Quand Rimbaud veut dépasser notre nuit pour évoquer une approche de la vraie vie, il a recours à l'éclat intense ; on pourrait ainsi relever dans *Le bateau ivre* une

1. Y. Bonnefoy, *Rimbaud par lui-même*, p. 48.

série d'« illuminations » (au sens courant des bains de lumière) brèves, mais violemment colorées : « teignant tout à coup les bleuités », « les rutilements du jour », les « longs figements violets » du soleil, « la nuit verte aux neiges éblouies », les « soleils d'argent », les « cieux de braises », « le ciel rougeoyant », les « lichens de soleil » et les « morves d'azur », les « lunules électriques »...

Mais, on le voit, si l'or pouvait représenter la Connaissance à proprement parler, la lumière évoque plutôt l'effort pour voir, les tentatives du Voyant qui a pu créer des éclairs de Vision par le dérèglement des sens — mais qui n'accèdera pas durablement à cet Inconnu ; M.-J. Whitaker, qui consacre un chapitre à l'étude de ce symbole chez Rimbaud, utilise l'expression pertinente de « voyage illuminateur[1] ». En cela, Rimbaud modifie légèrement le cliché : la lumière ne symbolise pas tant la vérité à atteindre, donc l'inaccessible, que les trop brefs embrasements de l'entreprise même de Voyance.

Mais nous retrouvons la conception prométhéenne, lorsque Rimbaud écrit dans la seconde « lettre du Voyant » : « Donc le poète est vraiment voleur de feu. » Et le feu est assimilé spontanément au soleil ; dans *Une saison en enfer,* l'auteur rappelle en ces termes son expérience : « Je m'offrais au soleil, dieu de feu. » L'interprétation de ce soleil-feu reste fondamentalement ambiguë ; en un premier temps, le « dieu » est ressenti comme bienveillant :

« Le Soleil, le foyer de tendresse et de vie,
Verse l'amour brûlant à la terre ravie... »
(*Soleil et chair,* p. 23),

puis la chaleur devient brûlure ; « ainsi le feu, d'abord ami du poète et qui l'éclaire à travers son expérience, se transforme ensuite, à mesure que le récit se rapproche d'*Une saison en enfer,* en élément hostile qui punit et qui brûle », relève M.-J. Whitaker[2]. Rimbaud, qui se compare à un « moucheron » que « dissout un rayon », a-t-il le sentiment au terme de sa quête du feu-soleil de n'être pas Prométhée, mais Icare ?

1. Marie-Joséphine Whitaker, *La structure du monde imaginaire de Rimbaud,* Nizet, 1972, p. 137.
2. Marie-Joséphine Whitaker, op. cit. *supra,* p. 119.

Pourtant, même si à travers ces images nous retrouvons encore l'histoire d'un échec, nous conservons avec Rimbaud lui-même le souvenir des instants privilégiés où il a pu croire qu'il détenait une parcelle de cet Inconnu tant cherché :

« Je vécus, étincelle d'or de la lumière nature »

(*Une saison en enfer*, p. 89).

LA FLEUR ET L'IMMONDICE

Dans cette approche des symboles qui expriment plus ou moins consciemment l'univers imaginaire de Rimbaud, nous avons ainsi été conduits à distinguer plusieurs mouvements : celui de repli, ou de recherche d'un refuge, complété par celui de départ — en une errance horizontale, fuites terrestres ou quête de l'or où l'ardeur se consume en brèves illuminations visionnaires, puisque la seule véritable libération et découverte, l'envol vers le feu-soleil, est ressentie comme impossible. Il reste à découvrir dans *Poésies* tout un monde latent, où

« Plus fortes que l'alcool, plus vastes que nos lyres,
Fermentent les rousseurs amères de l'amour ! »

(*Le bateau ivre*, p. 95).

Nous avons déjà beaucoup rencontré ce thème de l'amour : frustrations maternelles, déceptions sentimentales (?), généralisations politiques et utopiques ; en évoquant le transfert à la nature de ce sentiment (cf. « la prairie amoureuse », « la campagne en rut »), nous avons pu en pressentir les manifestations symboliques au sein même d'un texte, empli selon J.-P. Richard « par des obsessions de pubescence, de turgescence, de gonflement ou de débordement[1] ».

Aussi, dans l'imagination de Rimbaud, la fleur n'est-elle pas conçue comme objet décoratif, intéressant une poésie conventionnelle par ses couleurs, son pittoresque, voire susceptible d'y symboliser l'éclat éphémère de la beauté. Nous voyons la fleur changer subtilement de forme, de nature. Il peut s'agir d'abord d'une image ; la bouche de la femme a goût de fruit, consistance de fleur :

1. J.-P. Richard, *Poésie et profondeur*, p. 197.

« Ton goût de framboise et de fraise,
Ô chair de fleur ! »

(*Les reparties de Nina*, p. 44).

L'assimilation de la fleur et de la chair se précise dans *Les poètes de sept ans* (« Plein (...) / De fleurs de chair aux bois sidérals déployées ») pour aboutir, dans *Ce qu'on dit au poète*, à ces vers où cette fois la fleur devient bouche, voire sexe végétal et minéral :

« Les fleurs, pareilles à des mufles,
D'où bavent les pommades d'or » (p. 85),

et plus loin :

« Oui, trouve au cœur des noirs filons
Des fleurs presque pierres — fameuses ! —
Qui vers leurs durs *ovaires* blonds
Aient des *amygdales* gemmeuses ! » (p. 86).

« Étrange rêverie que celle d'un sexe-larynx, d'une féminité-bouche... » commente J.-P. Richard[1]. Notons également la création d'un curieux univers au sein duquel l'animal, le végétal et le minéral se mêlent ; faut-il voir là un effort de sublimation : d'une arrière-pensée purement charnelle à l'épanouissement végétal, expression détournée et elle-même purifiée par la minéralisation ? Il est d'ailleurs évident que la fleur reste liée dans l'univers imaginaire de Rimbaud à cette triple caractérisation :

« (...) je vois la digitale s'ouvrir sur un tapis de filigranes d'argent, d'yeux et de chevelures.
Des pièces d'or jaune semées sur l'agate, des piliers d'acajou supportant un dôme d'émeraudes, des bouquets de satin blanc et de fines verges de rubis entourent la rose d'eau » (*Illuminations : Fleurs*, p. 179).

Cette tentative de sublimation au moins esthétique des « rousseurs amères de l'amour » s'oppose aux premières réactions imaginaires de Rimbaud. Y. Bonnefoy montre que face à une Société qui refuse l'amour et prétend l'idéaliser, le jeune homme réagit d'abord violemment en poussant l'évocation de la réalité vers le « grotesque, le sordide, l'excrémentiel » : « Et l'immondice qu'il retrouve dans la nature ne compromet pas celle-ci à ses yeux comme elle ruine la

1. J.-P. Richard, *Poésie et profondeur*, p. 204.

prétention humaine, elle n'est au contraire la preuve que de la supériorité et spirituelle et morale de la nature qui ne s'abaisse pas à jouer le jeu ignoble de l'idéal[1]. » J.-P. Richard avait lui aussi insisté sur cette première attitude de Rimbaud : « On y voit le désir refusé s'y trahir sous les espèces les plus répugnantes, celles de la fermentation, de la pourriture ou de la scatologie[2]. » On peut en effet constater dans le vocabulaire de *Mes petites amoureuses* que l'amour déçu suscite chez le poète des images d'excrétions : « l'arbre tendronnier qui bave » ou « mes salives desséchées », voire « j'ai dégueulé... ». Quant au goût pour l'excrémentiel, il apparaît assez fréquemment dans *Poésies,* mais nous pouvons nous contenter de citer ces vers où le poète fait sa cour et évoque un bonheur futur à deux :

« Ça sentira l'étable, pleine
De fumiers chauds,
Pleine d'un lent rythme d'haleine (...) »

(*Les reparties de Nina,* p. 46).

Cette tendance scatologique correspond dans *Poésies* à la période de désillusion adolescente, mais elle se poursuivra parallèlement à la transmutation florale : encore sous la forme du défi grossier dans *le Juste restait droit ;* sous une forme plus « exotique » dans *Ce qu'on dit au poète :*

« En somme, une Fleur, Romarin
Ou Lys, vive ou morte, vaut-elle
Un excrément d'oiseau marin ? » (p. 84),

ou dans ce vers déjà évoqué *(Le bateau ivre) :*

« ... les fientes d'oiseaux clabaudeurs aux yeux blonds ».

On est tenté d'écrire que ce dernier vers, dans la mesure où il mêle réalisme et idéalisation exotique, illustre partiellement un effort de synthèse esthétique entre les deux élans contraires de Rimbaud : le rappel provocateur du sordide, voire de l'excrémentiel, et l'apothéose de la matière recréée dans l'hétérogénéité, transmuée par la coloration, et à l'extrême purifiée par la minéralisation.

1. Y. Bonnefoy, *Rimbaud par lui-même,* p. 18.
2. J.-P. Richard, *Poésie et profondeur,* p. 197.

Modes d'expression 6

AFFINITÉS ET SITUATION LITTÉRAIRE

• *Le Parnasse*[1]

Les premiers textes de *Poésies* ne constituent en fait qu'un aspect de la production de Rimbaud à cette époque : l'élève de Rhétorique effectue parallèlement un certain nombre de travaux scolaires dont la connaissance n'est pas inutile. Déjà, à quatorze ans, le « fort en thème » avait laissé paraître sous sa signature dans le Bulletin officiel de l'Académie de Douai un poème intitulé *L'invocation à Vénus* et en fait copié (avec quelques améliorations !) dans la traduction du *De Natura Rerum* effectuée par Sully Prudhomme... De même, la lettre de Charles d'Orléans à Louis XI qu'il compose en classe de Rhétorique s'inspire assez largement de Villon, et surtout de Banville. Il convient donc de ne pas méconnaître la part des souvenirs littéraires chez ce bon élève, grand lecteur, et d'abord admirateur des Parnassiens. Le style et la facture des premiers poèmes se ressentent nécessairement des lectures, voire des ambitions (« messieurs du journal, je serai Parnas-

1. Groupe de poètes qui s'inspirent de Théophile Gautier, théoricien de « l'Art pour l'Art », et dont les noms marquants sont Leconte de Lisle, Banville, Heredia, Sully Prudhomme ; en réaction contre le Romantisme et ses confidences sentimentales, ils mettent l'accent sur la perfection de la forme au point d'être quelquefois accusés d'impassibilité.

sien ! » écrit-il à Banville, le 24 mai 1870 — en essayant vainement de se faire admettre au Parnasse contemporain).

Sans entrer dans le détail des rapprochements établis à propos de chaque poème, notons plutôt les limites de cette influence. Rimbaud restera jusque dans *Le bateau ivre* soigneux de certains détails de versification et notamment de la rime, mais ce culte formel n'est jamais chez lui l'objet du poème et comment croire qu'il ait pu se rallier à la doctrine de l'impersonnalité ? De plus, ainsi que le souligne M.-A. Ruff, « par son inspiration et ses thèmes, il est aux antipodes du Parnasse : sa poésie est directement et politiquement « engagée ». Même dans ses expressions les plus personnelles, elle marque une prise de position[1] ».

- *Baudelaire*

Mais la rencontre ressentie comme la plus déterminante semble à première vue être celle avec Baudelaire. On connaît l'hommage suprême décerné dans la seconde « lettre du Voyant » :

« Baudelaire est le premier voyant, roi des poètes, *un vrai Dieu.* »

L'allusion à la théorie des Correspondances (et notamment au vers « les parfums, les couleurs et les sons se répondent ») y est même très directe : « Cette langue sera de l'âme pour l'âme, résumant tout, parfums, sons, couleurs... » Toutefois des réticences viennent curieusement limiter cet hommage qui paraissait si complet : « La forme si vantée en lui est mesquine : les inventions d'inconnu réclament des formes nouvelles. » Ainsi, selon Rimbaud, Baudelaire aurait pressenti la véritable langue fondée sur les mélanges de sensations, les synesthésies, mais aurait échoué pour n'avoir pas vraiment renié les « formes vieilles ». On pourrait même se montrer encore plus réservé et signaler que l'objet final de cette poétique de la Voyance, l'établissement d'une société meilleure, semble bien absent de la pensée baudelairienne et évoque davantage Hugo.

1. M.-A. Ruff, *Rimbaud,* p. 37.

• *La poésie « objective » : le refus de la littérature de convention*

C'est qu'en fait, malgré cet hommage (limité) à Baudelaire ou l'allusion plus rapide à « Paul Verlaine, un vrai poète », Rimbaud dans les « lettres du Voyant » prétend s'opposer à la tradition plutôt que s'y situer : dans son palmarès, les réticences limitent bien souvent la portée de la recherche de ses prédécesseurs (« Lamartine est quelquefois voyant, mais étranglé par la forme vieille. — Hugo, *trop cabochard,* a bien du VU dans les derniers volumes... »). « Votre poésie subjective sera toujours horriblement fadasse », écrit-il à Izambard : il s'agit désormais de passer à une « poésie objective ». Musset incarne pour lui la tradition à rejeter (avec notamment ce *Rolla,* dont Rimbaud s'était lui-même inspiré dans *Soleil et chair*) : « Tout garçon épicier est en mesure de débobiner une apostrophe Rollaque... » Cette poésie lui paraît mensongère car, sentimentale et lyrique, elle dépeint avec esthétisme l'homme conventionnel. La « poésie objective » n'idéalisera plus, elle ne méconnaîtra plus les monstruosités et les dérèglements humains qui permettent d'accéder à l'Inconnu, elle n'enfermera plus l'homme et le monde dans sa vision conventionnelle. Ainsi, à la joliesse des sentiments et à la nature décorative doit se substituer la peinture réaliste du moi, mais aussi du monde moderne. *Ce qu'on dit au poète* vient préciser ce dernier point :

« Voilà ! c'est le Siècle d'enfer !
Et les poteaux télégraphiques
Vont orner, — lyre au chant de fer,
Tes omoplates magnifiques ! »

Cette poésie redeviendra alors l'expression des forces profondes jusqu'alors cachées. Ainsi Rimbaud, d'abord parnassien convaincu et avide de gloire littéraire, puis admirateur conditionnel de Baudelaire, en fait se situe lui-même — contre toute la tradition littéraire française qui, selon lui, n'a connu au mieux que des aperçus de la vérité — comme le premier poète véritablement conscient de son rôle ; il a le sentiment d'être le premier à travailler méthodiquement pour réinventer le réel : après sa propre consumation dans cette tâche « viendront d'autres horribles travailleurs ».

Ces lettres, où Rimbaud affirme sa volonté de rompre avec la tradition littéraire ou tout au moins de pousser à leur terme les quelques tentatives isolées et limitées de ses prédécesseurs, contiennent quatre poèmes dont le ton, le style marquent également une rupture. Le vocabulaire y traduit un bouleversement de l'inspiration précédente et il éclate plus que jamais en néologismes, mais aussi en termes savants, en expressions vulgaires, en emprunts régionaux. Ainsi cette évolution marquée semble devoir être liée directement aux nouvelles théories : la langue elle-même se plie à la recherche de l'inconnu et recourt à l'insolite. Il n'est pas question d'établir ici un lexique de ce déchaînement verbal, mais nous pouvons toutefois relever à titre d'exemples quelques dérivés volontairement extravagants (dans *Le cœur du pitre :* « pioupiesques », « abracadabrantesques ») qui correspondent à ce goût de Rimbaud pour le néologisme, décelable dans sa Correspondance ou dans *Les assis* (« hargnosités », « percaliser ») ; mais ces inventions côtoient ici les termes savants ou rares : « ithyphalliques » *(Le cœur du pitre),* « un hydrolat lacrymal », « éclanches » *(Mes petites amoureuses)...* L'argot, voire la vulgarité fournissent leur contingent : « culs-nus » et « bambochons » *(Chant de guerre parisien),* « tétons » et « dégueulé » *(Mes petites amoureuses) ;* enfin, comme Rabelais, Rimbaud emprunte aux parlers régionaux : nous trouvons ainsi des ardennismes comme « fouffes » (bourrades, gifles) dans le poème cité ci-dessus ou « darne » (étourdi) dans *Accroupissements* — mais aussi des termes, semble-t-il, inconnus comme « pialats » dont seul le contexte peut donner la signification.

Mentionnons en outre l'importance exceptionnelle de l'adjectif de couleur. On songe bien sûr automatiquement aux voyelles décrites par Rimbaud :
« A noir, E blanc, I rouge, U vert, O bleu... », mais il est possible de retrouver dans l'ensemble des textes des emplois caractéristiques.

Dans *Le dormeur du val,* l'utilisation reste assez conventionnelle : le bleu et le vert, couleurs de nature, s'y opposent au rouge, couleur de mort (cf. le « rouge d'enfer » du *Bal des*

pendus). De même, le rose et le bleu assez traditionnellement sont les couleurs d'un bonheur peut-être déjà pressenti comme naïf :
« Un paradis rose » et « Un beau ciel bleu » dans *Les étrennes des orphelins ;* « les soirs bleus d'été » dans *Sensation ;* le « bon matin bleu » des *Reparties de Nina ;* les « coussins bleus » et le « petit wagon rose » de *Rêvé pour l'hiver ;* ou encore « l'air bleu » et les « longs miels végétaux et rosés » des *Chercheuses de poux.*

Les titres nous ont fait reconnaître qu'il s'agissait de textes généralement lyriques. Parallèlement, le Rimbaud satirique et destructeur utilise ces mêmes couleurs à des fins parodiques ; que l'on songe aux « jolis décrets roses » dans *Le forgeron,* au « bleu laideron » des *Petites amoureuses* (sous des « cieux vert-chou », couleur reprise pour la tranche de la Bible dans *Les poètes de sept ans...*), ou encore à l'accumulation dans cette strophe des *Premières communions :*

« A son réveil — minuit — la fenêtre était blanche.
Devant le sommeil bleu des rideaux illunés[1],
La vision la prit des candeurs du dimanche ;
Elle avait rêvé rouge. Elle saigna du nez... » (p. 90).

Que l'on consulte enfin *L'éclatante victoire de Sarrebrück* avec son Empereur « dans une apothéose bleue et jaune », qui « voit tout en rose »...

Il reste, dans cette simple esquisse des problèmes, à mentionner l'utilisation de l'adjectif de couleur comme support de l'évocation visionnaire. Rimbaud s'y essaie, avec encore une volonté caricaturale, dans un poème déjà cité ci-dessus :

« Des cieux moirés de vert baignent les Fronts vermeils,
Et, tachés du sang pur des célestes poitrines,
De grands linges neigeux tombent sur les soleils ! »

Mais, dans un emploi plus sérieux, nous pourrions citer à titre d'exemple le violet, rapproché par deux fois de notations mystiques :

« J'ai vu le soleil bas, taché d'horreurs mystiques,
Illuminant de longs figements violets... »
(*Le bateau ivre,* p. 95) ;

1. Néologisme formé sur « lune ».

« O, suprême Clairon plein des strideurs étranges,
Silences traversés des Mondes et des Anges :
— O l'Oméga, rayon violet de Ses Yeux ! »

(*Voyelles*, p. 79).

TONS ET PROCÉDÉS CARACTÉRISTIQUES

• *La naïveté*

L'emploi de ce mot à propos de Rimbaud surprend d'abord. Pourtant, dans les premiers poèmes, nous trouvons bien des aspects d'une poésie gracieuse et fraîche (des aspects de cette « poésie subjective » qu'il rejettera) : que l'on songe notamment aux *Étrennes des orphelins*, à *Sensation*, à *Ophélie* ou encore à *Première soirée*. On sait que chez Rimbaud la désillusion est vite venue et ces poèmes demeurent en fait peu nombreux ; on ne peut toutefois méconnaître cette première attitude face au monde, ce premier éveil — même si, après les déceptions, le poète naïf se masque et n'apparaît plus qu'involontairement : « Sa veine affleure pourtant ou se devine plus d'une fois jusque dans les derniers vers. Bien que rare, elle n'est pas la moins importante et les textes qui lui paraissent les plus étrangers ne se comprennent complètement qu'en fonction de sa présence invisible et pour ainsi dire souterraine[1]. » D'ailleurs Rimbaud lui-même, dans *Une saison en enfer*, évoquera ses goûts « artistiques » en soulignant cette attirance de la naïveté : « J'aimais les (...) romans de nos aïeules, contes de fées, petits livres de l'enfance, opéras vieux, refrains niais, rythmes naïfs. » Comment ne pas voir en effet que *Le bateau ivre* et son voyage fabuleux procèdent d'un rêve d'enfant ? Il ne s'agit pas tant d'une méthode consciente de Voyant, d'une naïveté initiatique que d'une attitude toute personnelle, d'une survivance de l'enfant : « J'eus une fois une enfance aimable... »

1. M.-A. Ruff, *Rimbaud*, p. 27 et 28.

• *La grossièreté*

Bien sûr, la naïveté déçue chez un être tel que Rimbaud trouve rapidement cette compensation : la grossièreté, et va se dissimuler pour faire place à cette attitude affichée de défi vers les autres :

> « Puis, *quand j'ai ravalé mes rêves* avec soin (...)
> Je pisse vers les cieux bruns, très haut et très loin,
> Avec l'assentiment des grands héliotropes. »
> (*Oraison du soir*, p. 61).

Tous les procédés sont bons pour assouvir cette haine du jeune homme pur qui retourne sa colère contre ceux qui lui ont apporté la désillusion : l'impitoyable description réaliste *(Les pauvres à l'église)*, la caricature qui devient monstrueuse jusqu'à la vision *(Les assis)*, l'insulte simple (« bouffis », « laideron », « lâches », « plus bête et dégoûtant que les lices », « cerveau torpide »...), c'est-à-dire tout un courant de violence et de rage qui submerge ces poèmes de la déception.

• *La dérision : la parodie, l'alliance de mots et l'ellipse*

On comprend que dans ces conditions le Rimbaud de *Poésies* soit fréquemment ricanant. Mais le rire quelquefois reste discret, se masque en prenant la forme de la parodie. Nous avons déjà signalé une tendance au pastiche à propos des travaux scolaires et une certaine « innutrition » dans les premières œuvres ; il s'agit ici d'imitations patentes jusqu'à l'ironie : parodie d'abord de soi-même et de ses propres illusions ou aspirations. Que l'on songe au lyrisme des *Reparties de Nina* où un détail vient de temps à autre rappeler qu'il ne faut pas prendre le ton au sérieux ; détail trop trivial dans la première strophe (« plein la narine ») ou accumulation de couleurs jusqu'à la naïveté ridiculisée d'une image d'Épinal :

> « Tu plongerais dans la luzerne
> Ton blanc peignoir,
> Rosant à l'air ce bleu qui cerne
> Ton grand œil noir » (p. 44).

De même, le Parnasse rejeté n'échappe pas à l'évocation parodique de ses thèmes :

« Ainsi, toujours, vers l'azur noir
Où tremble la mer des topazes,
Fonctionneront dans ton soir
Les Lys, ces clystères d'extases! » (p. 81).

Cette dernière expression nous conduit à souligner un autre procédé caractéristique de la dérision chez Rimbaud : l'alliance de mots ou de tons. Les exemples sont nombreux et frappants : « les divins babillages », « Il se sent en dépit des célestes défenses, / Les doigts de pied ravis... », « Elle passa sa nuit sainte dans les latrines », « les fiers toutous », « crachats sacrés des Nymphes noires »...

Dans ces techniques de l'agression verbale, mentionnons enfin un procédé cher à Rimbaud et qui prendra dans les *Illuminations* une tout autre dimension : le raccourci audacieux, l'ellipse. On peut ainsi relever dans *A la musique* où l'auteur trouve l'occasion d'exhaler sa haine contre les bourgeois de province ces expressions caractéristiques : « les gros bureaux bouffis » ou « prisent en argent ». Cette technique d'abord utilisée dans *Poésies* pour son impact deviendra ensuite un mode d'expression poétique si caractéristique que l'on a pu écrire : « Un art elliptique : c'est ainsi que nous est apparue la mystérieuse poésie de Rimbaud[1]. »

LE RÔLE DU LANGAGE : L'« ALCHIMIE DU VERBE »

Le rôle attribué au langage par Rimbaud est tel que l'on ne peut jamais se contenter d'en parler en termes de stylistique ; on connaît son importance dès les « Lettres du Voyant » : « Trouver une langue ; — Du reste toute parole étant idée, le temps d'un langage universel viendra ! Il faut être académicien, — plus mort qu'un fossile —, pour parfaire un dictionnaire de quelque langue que ce soit (...). Cette langue sera de l'âme pour l'âme, résumant tout, parfums, sons, couleurs, de la pensée accrochant la pensée et tirant. » *Une*

1. M.-J. Whitaker, *La structure du monde imaginaire de Rimbaud*, Avant-propos.

saison en enfer reprendra certains de ces thèmes : « Je me flattais d'inventer un verbe poétique accessible, un jour ou l'autre, à tous les sens. » Et lorsque Rimbaud évoque son travail, il écrit ceci : « Je fouaille la langue avec frénésie » (lettre à Delahaye du 5 février ou 5 mars 1875). Ainsi le langage poétique semble la clé : alors que dans notre univers obscurci, les phrases ont perdu leur valeur, un nouveau verbe permettrait en reprenant tout son poids, toute sa puissance d'évocation, de retrouver cet ailleurs, de découvrir cet Inconnu et surtout de partager avec tous cet univers ainsi reconstruit. C'est pourquoi le vocabulaire doit être lui-même déréglé, doit sortir de la norme, c'est pourquoi l'ellipse deviendra le moyen privilégié de faire jaillir la lumière en favorisant le télescopage de réalités distantes. Si les mots cessent d'être figés par les dictionnaires, s'ils sont démarqués de leur sens fixe, ils nous permettront enfin de retrouver, hors des concepts desséchants et de la raison obscurcissante, la réalité brute : à ce prix seulement, pour Rimbaud, le langage sera sauveur.

Ainsi le poète est en possession d'une méthode : « le dérèglement de tous les sens » par l'alcool, le haschisch et la débauche qui, en modifiant une sensibilité limitée chez les autres par les conventions sociales, doivent permettre la vision, c'est-à-dire la redécouverte d'un univers plus vrai.

Comme nous venons de le noter, il a en outre défini ce que sera son instrument : pour être capable d'exprimer ce que le voyant perçoit, la langue (au même titre que la sensibilité) doit être renouvelée, doit échapper aux pesanteurs de ses emplois traditionnels. Il nous reste alors à voir par quelques exemples quelle est la pratique de cette langue idéale et quel est l'apport de Rimbaud à l'élaboration d'une expression poétique spécifique.

- *Vers une poésie non versifiée*

Nous avons été amenés à évoquer succinctement les problèmes de versification à propos de l'influence parnassienne, en notant que Rimbaud restait fidèle dans *Poésies* à une rime solide comportant assez souvent la consonne d'appui et que dans l'ensemble, hormis quelques ruptures de rythme, la versification n'avait rien de particulièrement révolutionnaire. On peut se demander, en fonction de l'évolution ultérieure vers la prose poétique et dans la mesure où le bouleversement de mai 1871 affecte peu ce domaine, si Rimbaud voit à cette époque dans les règles de versification autre chose qu'un cadre qui le gêne peu, mais qui en soi présente moins d'intérêt que les problèmes de la langue ; bien qu'il ait connu des exemples de poèmes en prose, l'évolution de Rimbaud vers ce genre se fera lentement, comme si, ayant continué à cultiver le vers par habitude, il s'était lentement aperçu qu'il pouvait s'en débarrasser : « C'est son vers lui-même qui s'achemine progressivement vers la prose », note M.-A. Ruff[1]. On a fait procès à Rimbaud d'un prétendu prosaïsme lorsqu'il rédige en vers ; ainsi Jacques Rivière affirme : « Le rythme de la phrase de Rimbaud est essentiellement prosaïque (...) le poème n'a pas d'existence générale (...) tout y est successif ; les membres de la phrase s'ajoutent les uns aux autres et jamais le dernier ne ramène vers le premier[2]... » Les élans de Rimbaud s'accommodent mal en effet de la recherche d'une harmonieuse structure interne et l'on peut s'étonner que le poète, qui avance par ailleurs de façon foudroyante, n'ait pas ressenti plus vite, et plus brutalement, ces obstacles — pourtant si conventionnels — à sa recherche d'une langue nouvelle. En fait, lorsque Rimbaud versifie, il s'achemine lentement à travers cette survivance de la poésie ornementale vers un langage poétique spécifique qui se dispensera de ces signes trop artificiels que sont la rime, la césure, le compte des syllabes.

• *Le refus des catégories*

Si le rejet de la versification classique s'effectue assez lentement, le refus des catégories logiques et sémantiques apparaît dès les poèmes contemporains des « Lettres du Voyant » : les téléscopages inattendus de notions et termes hétérogènes se multiplient, notamment dans *Ce qu'on dit au poète* et dans *Le bateau ivre*.

Nous avons déjà évoqué la poétique du « transfert » inspirée par Baudelaire : pour rendre compte plus complètement des sensations éprouvées, le poète les « décloisonne » et mêle les

1. M.-A. Ruff, *Rimbaud*, p. 215.
2. Jacques Rivière, *Rimbaud*, Éd. Émile-Paul Frères, 1930, p. 181-182.

sens, ce qui conduit à l'évocation de « noirs parfums » et de « poissons chantants » ; mais, en fait, Rimbaud mène plus loin cette expérience et met en place un système de « correspondances » non seulement entre les sensations, mais entre tous objets, tous sentiments, toutes notions... L'intention est bien de détruire les catégories qu'applique l'esprit à l'appréhension du monde et qui paraissent trompeuses au poète ; pour rendre compte de l'univers dans sa vérité et sa globalité, la pensée doit s'affranchir des structures que lui impose la logique.

Ainsi, au sein même du concret, les éléments les plus divers viennent se heurter :

« (...) Des arcs-en-ciel tendus comme des brides
Sous l'horizon des mers, à de glauques troupeaux ! »

(*Le bateau ivre*, p. 95.)

Si « brides » est à rapprocher de « troupeaux » et « arcs-en-ciel » d'« horizon », le télescopage des deux groupes correspond à cette volonté de détruire les zones sémantiques.

De même, deux catégories logiques, objets d'une part, sentiments de l'autre, sont volontiers mêlées :

« L'étoile a pleuré rose au cœur de tes oreilles » (p. 79).

L'étoile qui pleure paraît relever de la traditionnelle personnification ; en fait, ce que le procédé pourrait avoir de conventionnel est rectifié dans le vers par un nouveau télescopage : la dimension cosmique (l'étoile) se heurte au détail physique, presque vulgaire (l'oreille).

D'ailleurs le vers suivant de ce poème :

« L'infini roulé blanc de ta nuque à tes reins »

offre le même type de rapprochement inattendu : cette fois entre une notion abstraite, à connotation mystique (l'infini), et les éléments physiques à connotation sensuelle (la nuque et les reins).

L'extension systématique de ce réseau de « correspondances » a par exemple pour fruit cette curieuse strophe du *Bateau ivre* où la rigueur logique a fait place à un foisonnement assez caractéristique de ce que l'on appelle quelquefois la « magie du verbe » chez Rimbaud :

« J'ai rêvé la nuit verte aux neiges éblouies,
Baiser montant aux yeux des mers avec lenteurs,
La circulation des sèves inouïes,
Et l'éveil jaune et bleu des phosphores chanteurs ! » (p. 95).

Les « phosphores chanteurs » relèvent du mélange de sensations (visuelle et auditive) tel que le préconise Baudelaire ; les « neiges éblouies », plus qu'à une personnification, peuvent encore correspondre à un procédé assez classique de transfert (l'expression étant mise pour « neiges éblouissantes ») ; la « nuit verte » aurait pu également se rencontrer sous une autre plume. Mais déjà le rapprochement de tous ces procédés crée une atmosphère curieuse, propre à retranscrire l'hallucination de l'auteur ; et l'originalité, la hardiesse de Rimbaud apparaissent dans l'application de qualificatifs de couleur (« jaune et bleu ») à un « éveil » qui bien évidemment, dans l'appréhension logique, correspond à un changement d'état et non à un objet coloré. La dislocation volontaire des catégories de l'esprit est encore plus manifeste lorsque le poète qualifie la nuit de « baiser montant aux yeux des mers » : nous sommes à ce stade loin du simple glissement d'adjectif, des procédés rhétoriques, voire du transfert baudelairien de sensations.

• *La dislocation de la phrase*

Ce refus des catégories logiques s'accompagne presque naturellement du refus des structures syntaxiques traditionnelles ; si la phrase traduit les structures mentales, il est compréhensible qu'un poète, qui pour s'exprimer récuse celles-ci, s'attache de plus en plus à bouleverser celle-là.

Ainsi, dans ces trois vers :

« Parfois, martyr lassé des pôles et des zones,
La mer dont le sanglot faisait mon roulis doux
Montait vers moi ses fleurs d'ombre aux ventouses jaunes »
(*Le bateau ivre,* p. 96),

le puriste relèverait au moins une liberté syntaxique, dans la place de l'apposition « martyr... » qui, grammaticalement, devrait être rapportée à « mer », alors que le sens commande le rapprochement avec « moi ».

Souvent modifiée dans sa structure, la phrase de Rimbaud tend dans un même mouvement à se gonfler, à s'alourdir ; des éléments viennent s'y intercaler, le poète visant davantage à créer une impression, à recréer une hallucination par série de touches successives, qu'à suivre les structures syntaxiques traditionnelles et préexistantes :

« Sers-nous, [ô Farceur], [tu le peux],
[Sur un plat de vermeil splendide]
Des ragoûts de Lys sirupeux
[Mordant nos cuillers Alfénide[1] !] »
(*Ce qu'on dit au poète*, p. 86).

A la limite, cette tendance à l'accumulation mène à la négation de la phrase structurée et l'on rencontre quelquefois le procédé de la juxtaposition, énumération pure et simple d'éléments plus à ressentir globalement qu'à comprendre. Nous avons déjà évoqué ce vers du *Bateau ivre :*

« Glaciers, / soleils d'argent, / flots nacreux, / cieux de braise ! » (p. 96)

et le procédé devient systématique dans *Voyelles :*

« (...) E, / candeurs des vapeurs et des tentes, /
Lances des glaciers fiers, / rois blancs, / frissons d'ombelles » (p. 78).

• *Le heurt des images*

A la phrase énumérative, correspond justement dans ce poème l'accumulation des images : une succession d'éléments hétérogènes hors de tout cadre logique ou syntaxique et qui doivent en fait converger pour créer une impression globale ; il est assez évident que si le poète a eu recours pour s'exprimer à cette technique des « grappes » d'images, le lecteur ne pourra définir d'un seul mot, appartenant à un univers logique, le résultat de cette accumulation. De fait, l'hétérogénéité d'images ainsi juxtaposées produit une impression difficilement résumable, toujours mêlée. On peut ainsi prendre l'exemple d'une voyelle :

« I, pourpres, sang craché, rire des lèvres belles
Dans la colère ou les ivresses pénitentes » (p. 78).

L'atmosphère d'ensemble est ressentie peut-être, mais elle résiste à l'analyse ; « pourpres » évoque la noblesse, l'antiquité, mais le « sang craché », qui est plus celui d'une maladie que d'une blessure, vient modifier par sa vulgarité l'impression

1. En alliage imitant l'argent.

première ; quant au « rire », il reste particulièrement équivoque, puisque, traditionnellement manifestation de joie, il est ici en fait modifié par la colère ou le remords. On pourrait même évoquer la sensualité des lèvres sans avoir probablement fait le tour des impressions ressenties à la lecture de ces deux vers qui allient la grandeur et la beauté à la bassesse et la laideur, sur fond de morale chrétienne (« pénitentes » ?).

Rejet progressif de la versification traditionnelle, cette marque tout extérieure de la poésie ; refus systématique des catégories logiques, incapables de rendre compte de la complexité du réel ; abandon partiel de la structure syntaxique, contraignante et nuisant à l'expression ; création d'une langue fondée sur les grappes d'images et visant à recréer une impression originale par le heurt d'éléments habituellement isolés : c'est surtout cette quête d'un langage spécifique à la poésie qui fait l'intérêt des textes de Rimbaud, alors que ce qui lui paraissait essentiel en 1871 (la redécouverte d'un monde plus vrai) ne nous apparaît plus que comme l'heureux prétexte à une remise en cause alors nécessaire des modes d'expression poétique.

Conclusion

Le premier poète moderne ou le dernier mage du XIXe siècle ?

Lorsque Rimbaud se définit comme « le voleur de feu », « le multiplicateur de progrès », lorsqu'il situe la poésie « en avant » d'une marche au progrès, lorsqu'il se confie ainsi un rôle social et humanitaire, il se retrouve évidemment dans le prolongement de toute une tradition littéraire française, déjà très marquée chez les philosophes du XVIIIe siècle, développée et modifiée par les Romantiques après 1830 ; le rapprochement avec certains vers de Victor Hugo s'impose alors :

« Le poète en des jours impies
Vient *préparer des jours meilleurs.*
Il est l'homme des utopies,
Les pieds ici, les yeux ailleurs (...)
Il voit, quand les peuples végètent ! »

La méthode choisie, le « long, immense et raisonné dérèglement de tous les sens », le distingue toutefois de cette tradition. Pour sa volonté de faire éclater l'apparence des choses, d'explorer systématiquement toutes ses facultés délaissées, les Surréalistes le reconnaîtront comme l'un de ceux qui ont su libérer l'imagination et l'écriture poétique de l'emprise de la raison : André Breton dans le *Premier manifeste du Surréalisme* revendiquera explicitement Rimbaud comme l'un de ses prédécesseurs, en limitant cependant son apport par l'antériorité accordée aux romantiques allemands pour la définition de la voyance, et par une certaine préférence pour Lautréamont.

Mais c'est certainement par sa conception du langage que Rimbaud est considéré comme un poète moderne. Roland Barthes, dans *Le degré zéro de l'écriture*[1], après avoir défini la

1. Éditions Denoël-Gonthier, Médiations, 1953, p. 39 et 40.

poésie classique « comme une variation ornementale de la prose, le fruit d'un art (c'est-à-dire d'une technique) », affirme avec netteté :

« De cette structure, on sait qu'il ne reste rien dans *la poésie moderne, celle qui part,* non de Baudelaire, mais *de Rimbaud* (...). La Poésie n'est plus alors une Prose décorée d'ornements ou amputée de libertés (...). Elle n'est plus attribut, elle est substance, et par conséquent, elle peut renoncer aux signes, car elle porte sa nature en elle (...). »

Dans les derniers textes de *Poésies,* nous sentons en effet naître ce nouveau langage qui laisse pleine liberté d'acception au mot, qui lui redonne toute sa virtualité, hors du discours relationnel et raisonnable à fonction sociale. Alors, si l'alchimie du verbe ne permet pas à Rimbaud de découvrir « l'Or », elle correspond du moins à cette transmutation inconsciente et progressive d'un discours versifié en une langue spécifique, qui trouvera sa pleine maîtrise dans les *Illuminations* et qui caractérisera la poésie moderne.

Annexes

Thèmes de réflexion ◄

• *Rimbaud et ses maîtres*

- Dégager l'influence de Villon *(Ballade des pendus)* et de Banville dans *Le bal des pendus ;* de Musset *(Rolla)* dans *Soleil et chair ;* du ton hugolien dans *Le forgeron.*
- Montrer la parodie des thèmes parnassiens dans *Ce qu'on dit au poète.*
- Que penser de l'affirmation d'Étiemble selon laquelle *Le bateau ivre* « écrit en 1871 par un virtuose du pastiche et qui voulait se voir imprimé au Parnasse contemporain développe tout uniment l'un des symboles favoris des Parnassiens » ?

(*Le mythe de Rimbaud,* tome 2, p. 81.)

• *La révolte*

- « Ce que Rimbaud le poète désirait, c'était de voir disparaître les anciennes formes, aussi bien dans la vie qu'en littérature. »

(Henry Miller, *Le temps des assassins,* p. 36.)

Apprécier cette formule en l'appliquant à *Poésies.*

- Rimbaud est-il un « gauchiste » ou un surhomme nietzschéen qui se situe au-delà du bien et du mal ?
- Montrer à quel point Rimbaud correspond bien à cette autre définition d'Henry Miller : « D'entre tous les hommes, le rebelle est celui qui a le plus soif d'amour, de le donner plus encore que de le recevoir, de l'incarner plus que de le donner. »

(Opus cité supra, p. 58.)

• *La voyance*

- Commenter ces lignes d'André Breton :
« Quant à l'idée d'une clé « hiéroglyphique » du monde, elle préexiste plus ou moins consciemment à toute haute poésie, que seul peut mouvoir le principe des analogies et correspondances. Des poètes comme Hugo, Nerval, Baudelaire, Rimbaud, des penseurs comme Fourier, partagent cette idée avec les occultistes, et aussi vraisemblablement avec la plupart des inventeurs scientifiques. »

• *L'interprétation des textes*

- Rimbaud nous indique qu'*Une saison en enfer* est signifiante « littéralement et dans tous les sens », soulignant ainsi la multiplicité des interprétations possibles et annonçant la volonté de Mallarmé de redonner vie au langage (« donner un sens plus pur aux mots de la tribu ») ; montrer que les derniers textes de *Poésies* correspondent déjà à cette définition moderne de la langue poétique.

• *L'art de Rimbaud*

- Étudier, des *Étrennes des orphelins* au *Bateau ivre,* l'évolution de l'inspiration, du style, du vocabulaire et des images.
- Illustrer et nuancer la formule de Marie-Joséphine Whitaker : « Un art elliptique : c'est ainsi que nous est apparue la mystérieuse poésie de Rimbaud. » (*La structure du monde imaginaire de Rimbaud.* Avant-Propos.)
- S'intéresser aux problèmes d'expression dans *Le bateau ivre :* contrastes de vocabulaire, métaphores inattendues et heurtées, allitérations, effets de rythme...

▶ Bibliographie sélective

La bibliographie rimbaldienne étant considérable, on peut se reporter pour compléter ces brèves indications à :

P. PETITFILS, *L'œuvre et le visage d'Arthur Rimbaud* (Nizet, 1949).
R. ÉTIEMBLE, *Le mythe de Rimbaud* (Gallimard, 1952-1961).
S. BERNARD, *État présent des études sur Rimbaud* (L'Information littéraire, 1962, n°s 2 et 3).
Études rimbaldiennes (1967-1972) et *série Arthur Rimbaud* (depuis 1972) [Lettres modernes, Minard].

Biographies

G. IZAMBARD, *Rimbaud tel que je l'ai connu* (Mercure de France, 1956)
et E. DELAHAYE, *Souvenirs familiers* (Messein, 1925) : Rimbaud évoqué par deux de ses proches ; des travaux intéressants, mais à utiliser avec réserve.
H. MATARASSO et P. PETITFILS, *Vie de Rimbaud* (Hachette, 1962) : une biographie exhaustive et objective.
(Par les mêmes auteurs, un des albums photographiques de la « Bibliothèque de la Pléiade », Gallimard, 1967.)

Études diverses

YVES BONNEFOY, *Rimbaud par lui-même* (Éditions du Seuil, 1969)
HENRY MILLER, *Le temps des assassins. Essai sur Rimbaud* (Éditions P.-J. Oswald, 1970) : deux créateurs face à l'œuvre de Rimbaud ; une approche enthousiaste pour le premier, une tendance gênante à tout ramener à soi pour le second.

R. ÉTIEMBLE et YASSU GAUCLÈRE, *Rimbaud* (Gallimard, nouvelle édition, 1957)

MARCEL-A. RUFF, *Rimbaud* (Connaissance des lettres, Hatier, 1968) : des travaux universitaires, précieux par leur érudition.

JACQUES PLESSEN, *Promenade et poésie* (Mouton, 1967)

JEAN-PIERRE RICHARD, *Poésie et profondeur : Rimbaud ou la poésie du devenir* (Éditions du Seuil, 1955)

MARIE-JOSÉPHINE WHITAKER, *La structure du monde imaginaire de Rimbaud* (Nizet, 1972)

PIERRE BRUNEL, *Rimbaud* (Thema-Anthologie, Hatier, 1973) : diverses approches de la critique moderne, par les images et les thèmes ; le dernier ouvrage cité présente une synthèse intéressante et apporte de nombreux compléments.

LIONEL RAY, *Arthur Rimbaud* (Poètes d'Aujourd'hui, Seghers, 1976).

Index des thèmes

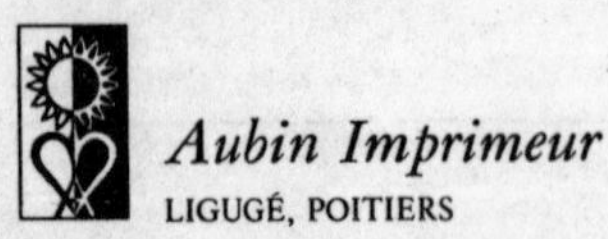

Achevé d'imprimer en février 1988
N° d'édition 10230 / N° d'impression L 26670
Dépôt légal février 1988 / Imprimé en France